La lumière

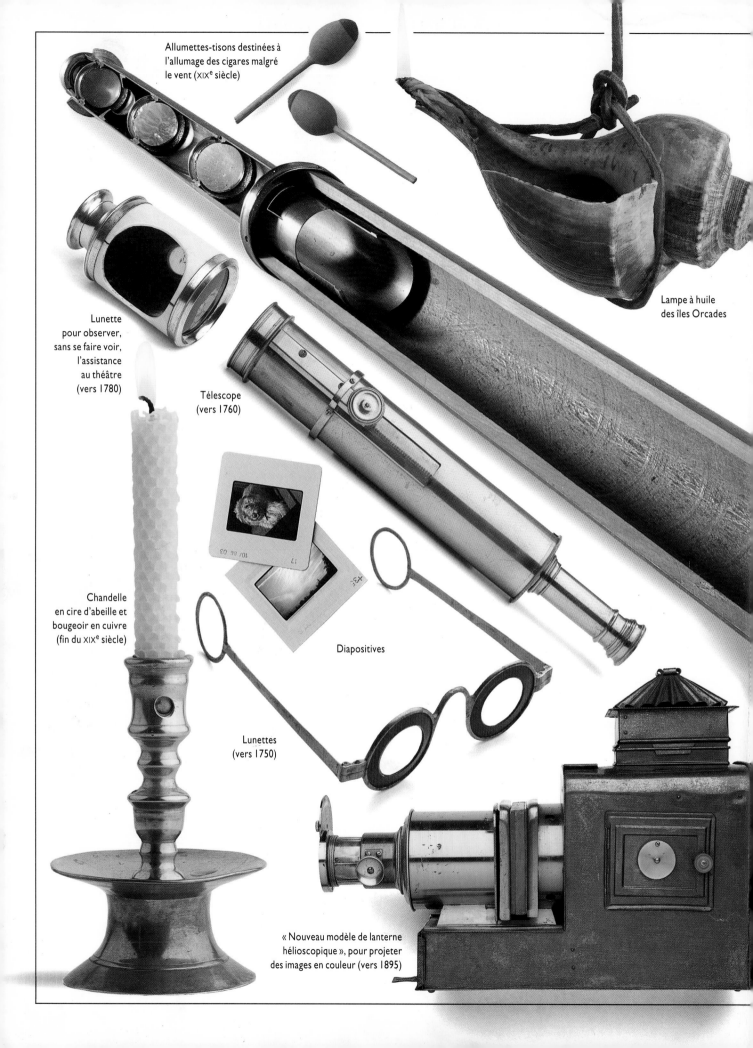

Allumettes-tisons destinées à l'allumage des cigares malgré le vent (XIXᵉ siècle)

Lampe à huile des îles Orcades

Lunette pour observer, sans se faire voir, l'assistance au théâtre (vers 1780)

Télescope (vers 1760)

Chandelle en cire d'abeille et bougeoir en cuivre (fin du XIXᵉ siècle)

Diapositives

Lunettes (vers 1750)

« Nouveau modèle de lanterne hélioscopique », pour projeter des images en couleur (vers 1895)

Diamants taillés (vue de
dessus, vue de dessous)

La
lumière

par
David Burnie
Photographies originales de Dave King
Traduction de Jean-Pierre Verdet

Disc compact

Signal routier

Tube de Geissler

Coupe d'un réfracteur du XVIIIe siècle

Bouton de Barton
(vers 1830)

Couleurs primaires
et secondaires

Appareil photographique
miniature Coronet (1934)

GALLIMARD

Optomètre pour mesurer
la réfraction de l'œil
(vers 1830)

Anneaux
de Newton,
pour étudier les
interférences
(1870)

UN OUTIL POUR TOUTE LA FAMILLE

Pour encourager le lecteur à observer le monde
qui l'entoure, pour répondre aux nombreux pourquoi
et comment de la vie quotidienne ou aux grandes
interrogations de l'Univers, voici une encyclopédie
scientifique accessible à tous, grâce à son attrait visuel
et à sa simplicité. *La lumière* est un livre
que l'on prendra l'habitude de consulter en famille
et qui, alliant la fascination de l'image à la sérénité
de la lecture, permettra, à tous les âges,
de redécouvrir le plaisir de comprendre.

UNE SOURCE DE RÉFÉRENCES, D'EXPÉRIENCES ET D'INSPIRATION POUR LES ÉLÈVES ET POUR LES ENSEIGNANTS

Pour l'école, le collège ou le lycée, dans le cadre
des programmes d'enseignement, cet ouvrage
présente quantité d'exemples et d'expériences,
majeures ou moins connues, qui expliqueront
et illustreront de façon vivante et active l'histoire
et les principes de la science. Il aborde la connaissance
en fertilisant l'imagination, facilitant ainsi le travail
de la mémoire, et permet de passer tout
naturellement du concret à l'abstrait.

Miroir plan
(vers 1870)

Polariscope à main
pour observer
la polarisation
de certaines
substances,
au XIXᵉ siècle

Direction éditoriale et artistique

Responsables éditoriaux : Josephine Buchanan, Stephanie Jackson
Directeur artistique : Neville Graham,
Maquettistes : Gurinder Purewall et Marianna Papachrysanthou
Responsable PAO : Joanna Figg-Latham
Responsable de la fabrication : Eunice Paterson

Édition originale parue sous le titre :
Eyewitness Science Guide "Light"

Réplique
du télescope
de Newton

SOMMAIRE

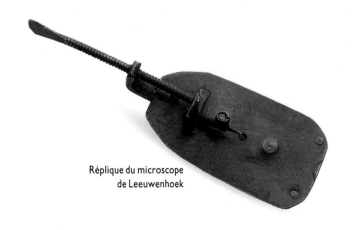

Réplique du microscope de Leeuwenhoek

Imaginez qu'un matin le soleil ne se lève pas. En quelques heures, il ferait aussi froid qu'en hiver. Au bout de quelques jours, étangs et rivières gèleraient, plantes et animaux commenceraient à dépérir. Bientôt l'huile des moteurs se solidifierait, les machines ne tourneraient plus et les centrales électriques s'arrêteraient. On n'aurait plus de lumière, ni de chaleur. Mais cela peut-il arriver ? Notre connaissance du système solaire nous permet de répondre non. Mais dans les temps anciens, les hommes ne pouvaient pas avoir la même certitude. Ils n'avaient pas une idée claire de la façon dont cet astre produit sa lumière, ni pourquoi il se déplace dans le ciel. Et ils adoraient le soleil comme un dieu pour se prémunir contre sa disparition.

De la chaleur à la lumière

Un éclair se produit lorsqu'une étincelle électrique chauffe l'air à un point tel qu'il rougeoie. Dans la nature la plupart des formes de lumière sont causées par la chaleur.

Les feux follets

Cet étrange feu dansant est un phénomène naturel qui se manifeste sur les terrains marécageux. La flamme a pour combustible du méthane, un gaz produit par la décomposition des plantes. Des bulles de méthane et de dérivés du phosphore s'élèvent au-dessus du sol. Le phosphore, qui vient de la décomposition des restes animaux, s'enflamme au contact de l'air, entraînant la combustion du méthane. La flamme se meut si rapidement qu'elle est presque impossible à suivre.

Copie d'un masque solaire inca

Lumière vivante

Contes et légendes fourmillent d'apparitions qui brillent dans l'obscurité. Beaucoup de ces « visions » sont probablement dues aux plantes et aux animaux qui fabriquent leur propre lumière (p. 45).

Des êtres vivants font de la lumière pour surprendre leurs ennemis ou trouver un conjoint.

Lumière céleste

Près des pôles Nord et Sud, le ciel nocturne s'orne quelquefois d'arcs de lumière qu'on appelle « aurores ». Celles-ci se produisent lorsque des petites particules électriquement chargées, venant du soleil, entrent en collision avec les atomes de l'atmosphère. Le champ magnétique terrestre attire ces particules vers les pôles.

La splendeur du soleil

Ce masque d'or est la copie d'un masque inca. Les Incas du Pérou adoraient le soleil et croyaient que leurs souverains étaient les descendants de cet astre.

Soleil de pierre

Cette figure de pierre vient d'une grande pyramide construite au XVIe siècle par les Aztèques du Mexique. Elle se trouvait dans leur capitale, Tenochtitlán, bâtie sur une île du lac Texcoco. Il s'agit d'un calendrier de pierre montrant Tonatiuh, dieu Soleil, entouré des symboles de l'univers et des jours de l'année. Le triangle dressé au-dessus de lui représente les rayons solaires. De telles pierres servaient non seulement de calendriers, mais aussi de petits traités de cosmogonie.

Dans l'Égypte ancienne

Le beau-père de Toutankhamon, Aménophis IV Akhenaton, avait supprimé tous les dieux traditionnels et les avait remplacés par un seul, Aton, le dieu solaire. Toutankhamon (1350 av. J.-C.) restaura les anciens dieux, mais Aton resta le plus important.

Face à la lumière

Les hommes ont remarqué depuis longtemps que les plantes ont besoin de lumière : il suffit d'observer que les feuilles et les fleurs poussent de telle sorte qu'elles soient face à la lumière et que souvent elles suivent le soleil tout au long du jour. C'est le cas de l'héliotrope, ou tournesol, d'où son nom.

Le soleil-roi

Ce symbole solaire se trouve à Jaipur, en Inde. Il est le symbole de la famille d'un guerrier astronome du XVIIIe siècle, le Maharadjah Jai Singh, dit le Soleil des Hindous. Il fit construire, à Jaipur, en 1728, le Jantar Mantar ; ce grand observatoire, que l'on peut encore voir aujourd'hui, est célèbre pour son cadran solaire monumental.

Les plus anciennes traces de foyers retrouvées remontent à 1,4 million d'années. Avant de maîtriser le feu, les hommes l'apprivoisèrent. Au début, ils enflammaient des branchages à des buissons en feu. Si la flamme venait à s'éteindre, ils repartaient à la recherche du feu. Puis ils s'aperçurent que le choc de pierres entre elles ou que le frottement d'un bois contre un autre faisait jaillir des étincelles ou produisait suffisamment de chaleur pour mettre le feu à une mèche sèche.

Lumière du feu

La lumière est une forme d'énergie. Le feu libère de l'énergie chimique. Du fuel enflammé émet des gaz et l'énergie chimique chauffe les atomes de ces gaz, les rendant rougeoyants ou incandescents. La couleur d'une flamme indique sa chaleur et la quantité d'énergie libérée. Une flamme jaune terne est plus froide qu'une flamme bleue bien brillante.

Le feu du ciel

Selon la mythologie grecque, le dieu Zeus refusait que les hommes disposent du feu, mais Prométhée en déroba une parcelle sur la montagne des dieux et la descendit sur terre. Ce don est repris aujourd'hui pour les jeux Olympiques lorsque la flamme est amenée de Grèce jusqu'au lieu des Jeux.

Torches goudronnées

Les perches surmontées de goudron enflammé donnent une lumière jaune. Ces torches peuvent être transportées de lieu en lieu ou accrochées aux murs. Il y a deux mille ans, les cités romaines les utilisaient pour l'éclairage des rues.

Pyrite

Silex

Pierres à feu

La pyrite, un sulfure de fer, et le silex, ou pierre à feu (ci-dessus), sont deux minéraux qui lancent des étincelles s'ils sont frappés par un objet dur. Ils furent probablement les premiers instruments utilisés pour fabriquer le feu. Les étincelles doivent tomber sur une mèche : un matériau léger et sec, tel que de la sciure de bois, des brindilles, certaines graines ou certains champignons.

Charrue de feu et foyer

Si vous frottez vos mains l'une contre l'autre pour les réchauffer, ce frottement élève la température. Avec les mains, l'élévation est faible. Mais en frottant rapidement un bâton contre un autre morceau de bois (ci-dessous), il peut devenir assez chaud pour enflammer une mèche. Chez les aborigènes d'Australie, le bâton, ou charrue, est poussé le long d'une rainure et l'extrémité chaude du bâton enflamme une mèche dans le foyer.

Signaux de feu

Le premier phare connu est celui d'Alexandrie, en Égypte. Il avait 80 mètres de haut et utilisait la lumière d'un feu de bois pour guider les bateaux vers le port. Achevé en 280 av. J.-C., il a probablement été détruit par un tremblement de terre.

Charrue (bâton)

Foyer

Lampe à huile
égyptienne,
en poterie, vieille
de 2 000 ans

Mèche
absorbant
l'huile

La lumière de l'huile

Dès qu'ils maîtrisèrent le feu, les hommes remarquèrent que les graisses animales et les huiles végétales brûlent avec une lumière jaune clair. C'était le premier pas dans l'invention de la lampe à huile. L'huile n'est pas une source de lumière facile à maîtriser. Pour brûler, elle doit être très chaude, mais une fois chaude elle brûle très rapidement. Les hommes eurent l'idée d'utiliser la mèche qui absorbe l'huile pour qu'elle brûle peu à peu. De pierre ou en simples coquillages, les plus vieilles lampes à huile connues datent d'environ 15 000 ans.

Lampe à huile
des îles Orcades

Coquille
retenant l'huile

Cuir pour suspendre
la lampe

Chandelle en
cire d'abeille

À la recherche de l'huile

Avant que l'éclairage au gaz n'ait été inventé, il y avait une forte demande d'huile. Cette huile venait principalement de la graisse des animaux marins – baleines, phoques, et même pingouins – laquelle était mise à réduire dans de grandes cuves pour en tirer du suif.

Lampes à gaz
du XIXᵉ siècle

Bâtonnets de feu

Les allumettes s'enflamment par réaction chimique. La plupart utilisent des composés du phosphore qui prennent feu lorsqu'ils sont exposés à l'air. Les anciennes allumettes s'enflammaient au moindre frottement, les allumettes modernes, dites de sûreté, ne s'enflamment que si elles sont frottées contre le côté de la boîte.

Allumettes-tisons du XIXᵉ siècle
destinées à l'allumage
des cigares malgré le vent.

Chandelle

Une chandelle est une lampe à huile solide. Avant le XIXᵉ siècle, les chandelles étaient faites avec du suif ou de la cire d'abeille. Elles dégageaient beaucoup de fumée et éclairaient peu. Aujourd'hui, la plupart des bougies sont composées de paraffine.

Éclairage au gaz

Durant le XIXᵉ siècle, l'éclairage au gaz se généralise dans les villes. Au début, ce n'était que de simples jets de gaz enflammé, puis la brillance fut améliorée par l'utilisation du manchon placé sur le jet. Le gaz sort à travers une fine résille d'étoffe traitée chimiquement et prend feu quand il rencontre l'air. Le manchon, chauffé à blanc, donne une lumière brillante.

Depuis les temps anciens, les hommes savent que la lumière se déplace en ligne droite. Il n'est que de regarder le faisceau de lumière d'un projecteur de film pour s'en convaincre. Ce faisceau est constitué d'une multitude de rayons lumineux. Bien que ces rayons se déploient en forme d'éventail, chacun suit une trajectoire rectiligne de la lanterne à l'écran. Si un obstacle s'interpose et arrête une partie du faisceau, certains des rayons lumineux n'atteignent pas l'écran, tandis que les autres continuent leur chemin. Il en résulte une zone sans lumière appelée ombre.

Rayons solaires

Les rayons du Soleil montrent que la lumière se propage en ligne droite. On ne voit ces rayons que si de la poussière, comme dans cette vieille grange, ou des gouttelettes d'humidité diffusent une partie de leur lumière. La lumière émise se déplace en ligne droite et une partie parvient jusqu'aux yeux, rendant le faisceau visible.

L'ombre est à l'heure

Le Soleil parcourt le ciel à vitesse constante et, si un bâton est planté verticalement dans le sol, l'heure peut être déterminée par la position de son ombre. C'est le principe du cadran solaire. Les cadrans solaires étaient déjà utilisés en Égypte, il y a plus de 3 000 ans. Celui-ci a été construit en Allemagne vers 1550. L'heure est lisible aussi bien sur la colonne que sur les faces planes du socle.

Boussole destinée à orienter le cadran

Léonard de Vinci

Style

Ombre du style coupant une courbe où l'heure est indiquée

Cadran avec heures marquées

Dans le « cône d'ombre », la lumière du Soleil est entièrement arrêtée ; dans la pénombre, seule une partie de la lumière du Soleil est arrêtée.

Silhouettes

Les rayons lumineux d'une chandelle projettent l'ombre des obstacles qui sont sur leur chemin. Étienne de Silhouette (1709-1767), contrôleur général des finances de Louis XV, utilisa cette propriété pour exécuter des portraits de profil en suivant l'ombre projetée par le visage. C'est ainsi que le terme de « silhouette » a d'abord désigné toute ombre projetée dessinant nettement un contour, puis, par extension, toute forme se profilant en noir sur un fond clair.

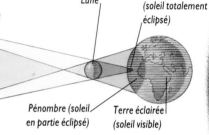

Soleil

Rayons solaires

Lune

Cône d'ombre (soleil totalement éclipsé)

Pénombre (soleil en partie éclipsé)

Terre éclairée (soleil visible)

Éclipses

Durant une éclipse de Soleil, la Lune s'interpose entre la Terre et le Soleil, et son ombre se déplace sur la Terre. Les gens qui sont dans le cône d'ombre assistent à une éclipse totale. Ceux qui sont dans la pénombre ne voient qu'une éclipse partielle. Pour les autres, il n'y a pas d'éclipse.

L'étude des ombres

Le génial artiste et inventeur que fut l'Italien Léonard de Vinci (1452-1519) a exploré presque toutes les branches de la science. Ce croquis, extrait de ses carnets de notes, montre la lumière venant de deux chandelles et projetant des ombres de chaque côté d'un objet. En dessous du dessin, les annotations de Léonard de Vinci sont écrites « en miroir ». Léonard de Vinci mettait en pratique ses découvertes scientifiques dans ses œuvres d'art. Ainsi, dans plusieurs de ses tableaux, il a recours à la théorie des ombres.

Prédiction des éclipses

Lorsque Christophe Colomb débarqua à la Jamaïque, en 1504, les Indiens ne lui donnèrent que peu de vivres. Sachant qu'une éclipse de Lune était sur le point de se produire, il « commanda » à la Lune de s'assombrir ! Les Indiens, étonnés de ce pouvoir, lui accordèrent alors ce qu'il désirait.

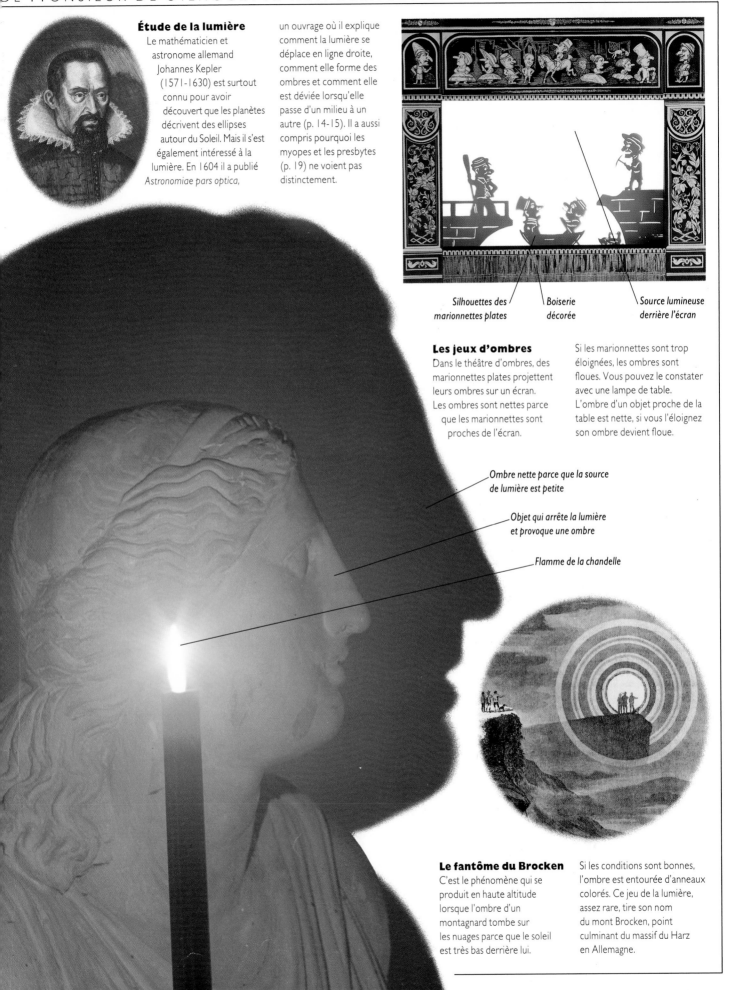

Étude de la lumière

Le mathématicien et astronome allemand Johannes Kepler (1571-1630) est surtout connu pour avoir découvert que les planètes décrivent des ellipses autour du Soleil. Mais il s'est également intéressé à la lumière. En 1604 il a publié *Astronomiae pars optica*, un ouvrage où il explique comment la lumière se déplace en ligne droite, comment elle forme des ombres et comment elle est déviée lorsqu'elle passe d'un milieu à un autre (p. 14-15). Il a aussi compris pourquoi les myopes et les presbytes (p. 19) ne voient pas distinctement.

Silhouettes des marionnettes plates

Boiserie décorée

Source lumineuse derrière l'écran

Les jeux d'ombres

Dans le théâtre d'ombres, des marionnettes plates projettent leurs ombres sur un écran. Les ombres sont nettes parce que les marionnettes sont proches de l'écran. Si les marionnettes sont trop éloignées, les ombres sont floues. Vous pouvez le constater avec une lampe de table. L'ombre d'un objet proche de la table est nette, si vous l'éloignez son ombre devient floue.

Ombre nette parce que la source de lumière est petite

Objet qui arrête la lumière et provoque une ombre

Flamme de la chandelle

Le fantôme du Brocken

C'est le phénomène qui se produit en haute altitude lorsque l'ombre d'un montagnard tombe sur les nuages parce que le soleil est très bas derrière lui. Si les conditions sont bonnes, l'ombre est entourée d'anneaux colorés. Ce jeu de la lumière, assez rare, tire son nom du mont Brocken, point culminant du massif du Harz en Allemagne.

Quand un rayon lumineux rencontre un miroir, il est réfléchi, c'est-à-dire qu'il rebrousse chemin. On peut le constater en observant la surface d'une flaque d'eau. Pourvu que la surface soit tranquille, la lumière est réfléchie dans une direction donnée et l'on obtient une image nette. Mais si l'eau est agitée par le vent, la lumière est réfléchie dans plusieurs directions et au lieu d'une image nette, on obtient des taches de lumière. On sait que le mathématicien grec Euclide avait compris comment la lumière se réfléchissait : en 300 av. J.-C. déjà, il avait étudié le phénomène de la réflexion et de nombreux savants grecs ont continué de le faire. Mais ce n'est qu'au XIe siècle que le savant arabe Alhazen a découvert les lois qui décrivent précisément la façon dont un rayon lumineux rencontre une surface et rebondit sur elle.

Reflet

Selon une légende grecque, Narcisse était amoureux de son reflet dans l'eau et se serait noyé en voulant l'attraper.

Surfaces planes et incurvées

Le type de réflexion d'un miroir dépend de sa forme et de la distance des objets. Ici sont montrées les réflexions par des surfaces planes, concaves et convexes.

Miroir ancien

Ce miroir égyptien de bronze (ci-dessus) date d'environ 1 300 av. J.-C.
Le bronze était soigneusement poli pour donner une réflexion nette. Les miroirs de verre remontent à plusieurs siècles, mais les premiers miroirs de verre limpide sont apparus à Venise vers 1 300 apr. J.-C. Comme les miroirs d'aujourd'hui, ils étaient recouverts d'une très fine couche métallique qui réfléchissait la lumière.

Réflexions et images

Dans une réflexion, il y a deux rayons, l'un qui arrive – l'incident –, l'autre qui repart – le réfléchi. La loi de la réflexion affirme que ces deux rayons font des angles égaux par rapport à une ligne imaginaire perpendiculaire au miroir, là où tombe le rayon incident. Quand un objet est vu dans un miroir, les yeux interceptent les rayons réfléchis et les prolongent en ligne droite. Le cerveau perçoit donc derrière le miroir une image, dite « virtuelle » parce qu'elle n'existe pas réellement. Une image qui émet de la lumière est dite image « réelle », car elle peut être projetée sur un écran, contrairement à une « virtuelle ».

Les miroirs concaves

Quand des rayons lumineux parallèles tombent sur un miroir concave, lequel est incurvé vers l'intérieur, ils sont réfléchis de telle sorte qu'ils convergent. Ce qui est vu dans un miroir concave dépend de la distance qui sépare l'objet du miroir. Si l'intérieur d'une cuiller est tenu près de l'œil, on voit l'œil à l'endroit et agrandi. Si on éloigne la cuiller, on voit le visage en entier, mais à l'envers et en plus petit.

Miroir plan

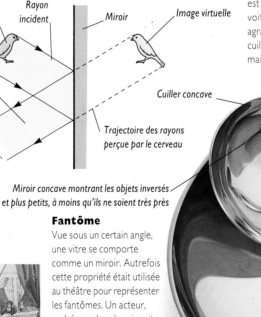

Objet

Rayon incident

Miroir

Image virtuelle

Rayon réfléchi

Œil

Trajectoire des rayons perçue par le cerveau

Miroir concave montrant les objets inversés et plus petits, à moins qu'ils ne soient très près

Miroir concave

Rayons lumineux incidents

Image vue là où les rayons se rencontrent

Cuiller concave

Fantôme

Vue sous un certain angle, une vitre se comporte comme un miroir. Autrefois cette propriété était utilisée au théâtre pour représenter les fantômes. Un acteur, caché sous la scène, jouait le fantôme. Une vitre inclinée réfléchissait son image vers le public qui voyait le fantôme mais pas la vitre.

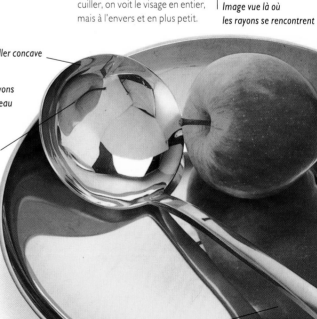

La pomme, très près de l'assiette concave, a une image à l'endroit et agrandie.

Assiette conc

Les miroirs convexes

Un miroir convexe est incurvé vers l'extérieur. Lorsque des rayons lumineux parallèles tombent sur le miroir, ils sont réfléchis de telle sorte qu'ils se dispersent, ou « divergent ».

L'œil qui regarde dans un miroir convexe prolonge les rayons comme s'ils venaient de derrière le miroir : il voit une petite image virtuelle à l'endroit. Parce que les miroirs convexes donnent une vue ample, ils sont souvent utilisés comme rétroviseurs. Ils font apparaître les objets plus petits qu'ils ne le sont et les conducteurs doivent se souvenir que ces objets sont plus près qu'ils n'en ont l'air.

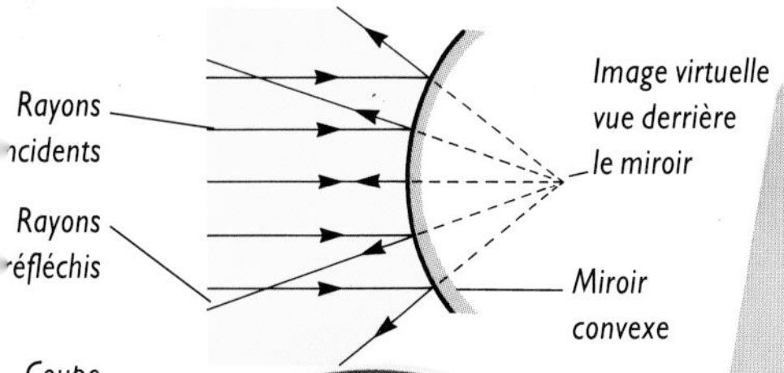

Rayons incidents

Rayons réfléchis

Image virtuelle vue derrière le miroir

Miroir convexe

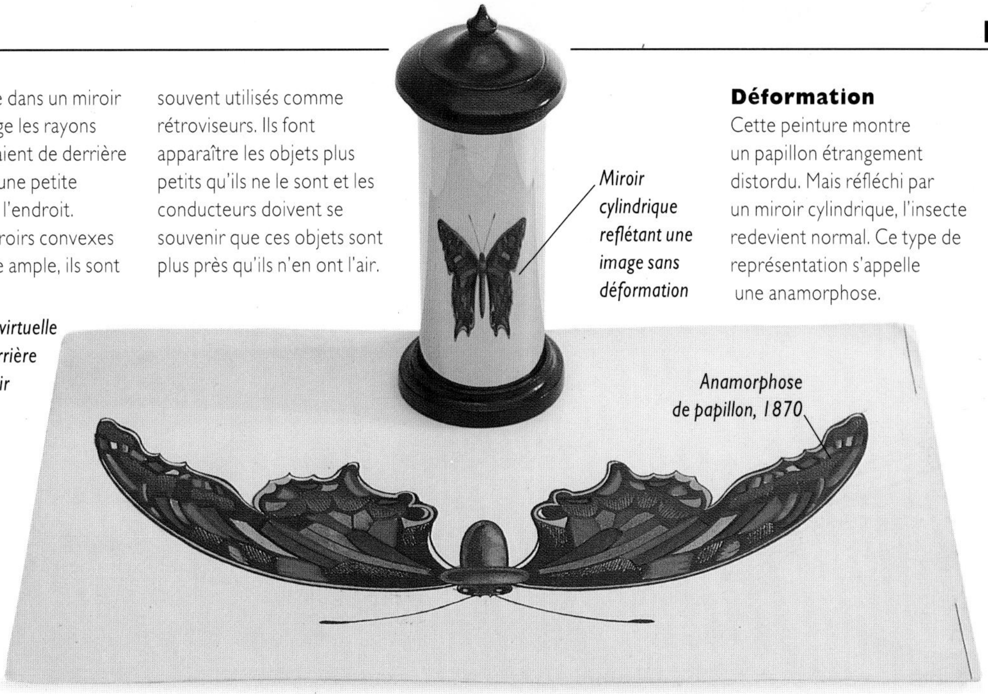

Coupe convexe

Images à l'endroit formées de tous les objets dans un champ large

Miroir cylindrique reflétant une image sans déformation

Déformation

Cette peinture montre un papillon étrangement distordu. Mais réfléchi par un miroir cylindrique, l'insecte redevient normal. Ce type de représentation s'appelle une anamorphose.

Anamorphose de papillon, 1870

Plat concave et convexe

Taille des diamants

Face étincelante

Dos sombre

Rebondissements

Le diamant est taillé pour mieux réfléchir la lumière. Une partie de la lumière est réfléchie par l'extérieur des faces supérieures et une autre par l'intérieur des faces inférieures. C'est pourquoi un diamant étincelle vu de face, mais est terne vu de dos.

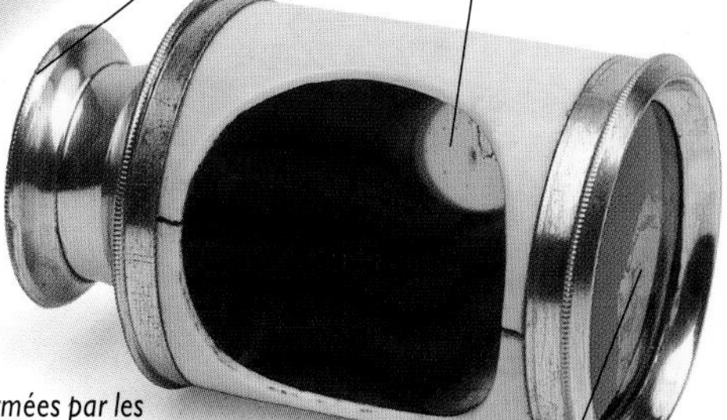

L'observateur regarde ici.

Miroir plan incliné à 45° donnant une vue de côté

Images déformées par les changements de courbure de cette surface

Fausse lentille frontale

Regarder dans les coins

Ce polémoscope a été fabriqué en 1780. Il était destiné à faire croire que l'on regardait en face alors qu'en fait le miroir plan qu'il contient permettait de voir sur le côté. Il était utilisé dans les théâtres par les gens qui cherchaient à observer le public plutôt que le spectacle.

Partie plane du plat donnant une image nette de tout ce qu'il réfléchit

Les miroirs plans

Un miroir plan réfléchit les objets sans les déformer. L'image est à l'endroit, le haut reste en haut, le bas en bas, mais la droite et la gauche sont inversées.

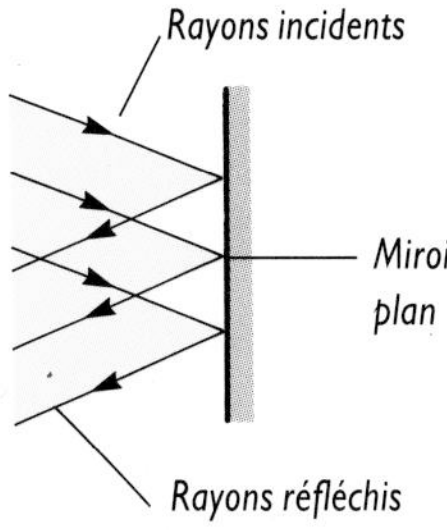

Rayons incidents

Miroir plan

Rayons réfléchis

Lorsque la lumière passe d'un milieu à un autre, elle est déviée ou « réfractée ». Pour observer la réfraction, il suffit de plonger un objet quelconque dans un verre d'eau. Sa forme semblera changer parce que les rayons lumineux sont déviés lorsqu'ils quittent l'eau et pénètrent dans l'air. Ce phénomène est connu depuis longtemps, et déjà les Anciens avaient tenté de dégager une loi mathématique rendant compte de cette déviation. Ptolémée (vers 90 - vers 170) avait rassemblé les connaissances déjà acquises en optique et mené une étude approfondie de la réfraction. Alhazen (p. 12) étudia également la réfraction, mais pas plus que Ptolémée il ne put calculer l'angle du rayon réfracté. Le problème sera résolu en 1621 par le Hollandais Willebrord Snell et la loi de la réfraction porte aujourd'hui son nom.

Déviée mais pas brisée

Cette baguette paraît constituée de deux parties séparées. Cela vient du fait que la lumière des différentes parties de la baguette traverse différentes combinaisons d'eau, de verre et d'air. Chaque fois qu'elle passe d'un milieu à un autre, elle est déviée.

Baguette

La baguette semble brisée.

Verre rempli d'eau

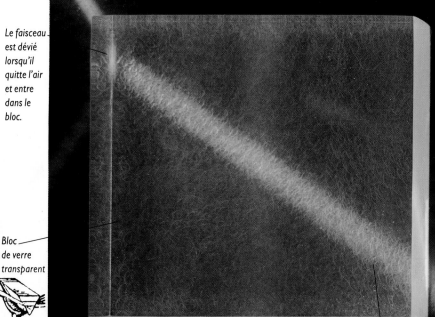

Le faisceau est dévié lorsqu'il quitte l'air et entre dans le bloc.

Bloc de verre transparent

La lumière chemine en ligne droite à l'intérieur du bloc.

Lorsque le faisceau ressort, il est encore dévié.

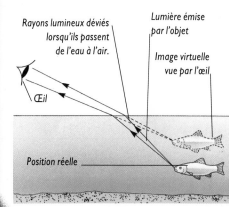

Rayons lumineux déviés lorsqu'ils passent de l'eau à l'air.

Lumière émise par l'objet

Image virtuelle vue par l'œil

Œil

Position réelle

À quelle profondeur est-il ?

Quand un objet est vu dans l'eau, les rayons lumineux qui nous en parviennent sont déviés lorsqu'ils passent de l'eau dans l'air. Les yeux suivent les rayons émergents et les prolongent en ligne droite : ils voient une image virtuelle qui semble à une profondeur moindre que l'objet (p. 12).

Loi de la réfraction de Snell

Lorsqu'un faisceau lumineux entre ou sort d'un bloc de verre, il est dévié de sa direction initiale. Le faisceau montré ici entre dans le bloc et se rapproche de l'horizontale ; quand il en sort il est dévié dans la direction opposée. Ce taux de déviation est mesurable. Si le faisceau entre ou sort du bloc de face, il n'est pas dévié. S'il entre ou sort sous un autre angle, il est dévié d'autant plus qu'il s'écarte de la perpendiculaire. En 1621, le physicien hollandais Snell détermina le rapport existant entre l'angle d'incidence du faisceau (angle avant la déviation) et l'angle de réfraction (angle après la déviation). Cette loi montre que toute substance a un pouvoir de déviation caractéristique – l'indice de réfraction. Plus une substance dévie la lumière, plus son indice de réfraction est grand.

Willebrord Snell

Snell (1580-1626) a aussi été le premier à mettre au point la triangulation qui permet de mesurer les distances en utilisant les angles entre différents points.

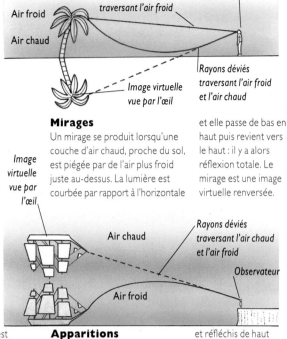

Rayons rectilignes traversant l'air froid

Observateur

Air froid

Air chaud

Image virtuelle vue par l'œil

Image virtuelle vue par l'œil

Air chaud

Rayons déviés traversant l'air chaud et l'air froid

Observateur

Air froid

Mirages

Un mirage se produit lorsqu'une couche d'air chaud, proche du sol, est piégée par de l'air plus froid juste au-dessus. La lumière est courbée par rapport à l'horizontale et elle passe de bas en haut puis revient vers le haut : il y a alors réflexion totale. Le mirage est une image virtuelle renversée.

Apparitions

Dans cette forme de mirage, de l'air chaud s'étend sur une couche d'air froid. Les rayons lumineux passant de l'air froid à l'air chaud sont courbés par rapport à la ligne horizontale et réfléchis de haut en bas. Un objet « apparaît » alors au-dessus de l'objet réel.

Photographies de Schlieren

L'air à différentes températures dévie la lumière différemment. Les photographies de Schlieren mettent en évidence ces différences. Elles bloquent une partie de la lumière venant d'un objet, de telle sorte que la lumière déviée devienne plus visible. Ci-dessus, photographie d'une bougie qui montre les couches d'air à différentes températures autour de la flamme.

Déviation par l'air

Les rayons lumineux peuvent quelquefois être déviés sans passer d'un milieu à un autre. Dans l'air cela se produit lorsque la lumière traverse des couches qui sont à des températures différentes. L'air froid est plus dense que l'air chaud et il se comporte comme une substance différente. Les effets peuvent être spectaculaires, comme le montre cette gravure ancienne.

Concentration de lumière

Ces sphères remplies d'eau sont des condensateurs de dentellière. Les dentellières les utilisaient au XIXe siècle pour mieux voir leur travail. Lorsque la lumière traverse la sphère de verre, elle est déviée de telle sorte qu'elle tombe sur une petite partie de la dentelle.

Chaque condensateur focalise la lumière sur une aire différente.

Lumière de la bougie focalisée lorsqu'elle traverse la sphère.

Lumière focalisée sur la broderie

Comment fonctionne un condensateur ?

Lorsque la lumière, changeant de milieu, traverse une surface courbe, certains rayons sont plus déviés que d'autres.

Les condensateurs de dentellière focalisent les rayons de telle sorte qu'ils se rencontrent sur une petite surface. Le condensateur agit comme une lentille convexe.

Si vous regardez à travers une fenêtre, toutes les choses vous apparaissent à peu près comme si la fenêtre n'existait pas. Mais si vous regardez à travers un verre d'eau, ce que vous voyez est très différent. L'image est distordue et peut être inversée. La raison en est que le verre d'eau agit comme une lentille : il dévie les rayons lumineux qui le traversent. Il y a deux types de lentille : les « convexes » – ou convergentes –, lentilles courbées vers l'extérieur et qui dévient les rayons vers l'intérieur ; et les lentilles « concaves » qui sont l'opposé : courbées vers l'intérieur et déviant les rayons vers l'extérieur. Si des rayons lumineux parallèles frappent de plein fouet une lentille convexe, ils sont déviés de telle sorte qu'ils convergent tous en un seul point, le foyer principal. La distance entre le foyer principal et le centre de la lentille est dite « distance focale », ou encore « focale ». Plus cette distance est courte, plus la lentille est puissante.

Lunettes

Les lunettes sont utilisées en Occident depuis 700 ans. Les plus anciennes sont les lentilles convexes. Elles étaient portées par les gens qui voyaient mal de loin, les presbytes (p. 19), afin de diminuer la focale. Plus tard, les lunettes concaves ont été fabriquées pour ceux qui voyaient mal de près, les myopes (p. 19). En 1784, Benjamin Franklin a inventé les lunettes bifocales, lunettes composées de deux parties ayant des longueurs focales différentes.

Lentille concave

Œil

Rayons divergents

Lentille concave

Image virtuelle plus petite

Déploiement

Lorsque des rayons lumineux traversent une lentille concave, celle-ci les dévie de telle sorte qu'ils s'écartent, ou « divergent ». Mais l'œil croit que la lumière lui arrive en ligne droite, aussi voit-il la lumière comme venant d'une image virtuelle (p. 12) ; cette image est plus petite que l'objet.

Cercle pour attacher un ruban

Partie supérieure convexe pour voir les objets éloignés

Partie inférieure concave pour voir les objets proches

Lunettes anglaises bifocales, 1885

Lentilles de contact en verre, grandeur réelle, fabriquées vers 1930

Lentilles de contact

Une lentille de contact a la même fonction qu'une lentille de lunettes, mais elle s'applique sur la surface de l'œil. Les premières lentilles de contact en verre ont été fabriquées en 1887. Elles étaient grandes, épaisses et inconfortables. Aujourd'hui, elles sont plus petites et en plastique. À la différence des lunettes, elles donnent une vision nette dans tout le champ de vision de l'œil.

Lentille

Monture en corne

Lunettes fabriquées vers 1750

Lentille mixte

Image intérieure diminuée

Objet

Œil

Image extérieure agrandie

Lentille asphérique

Lentille « asphérique »

Elle est convexe près des bords et concave au centre. Ces lentilles sont utilisées dans les télémètres.

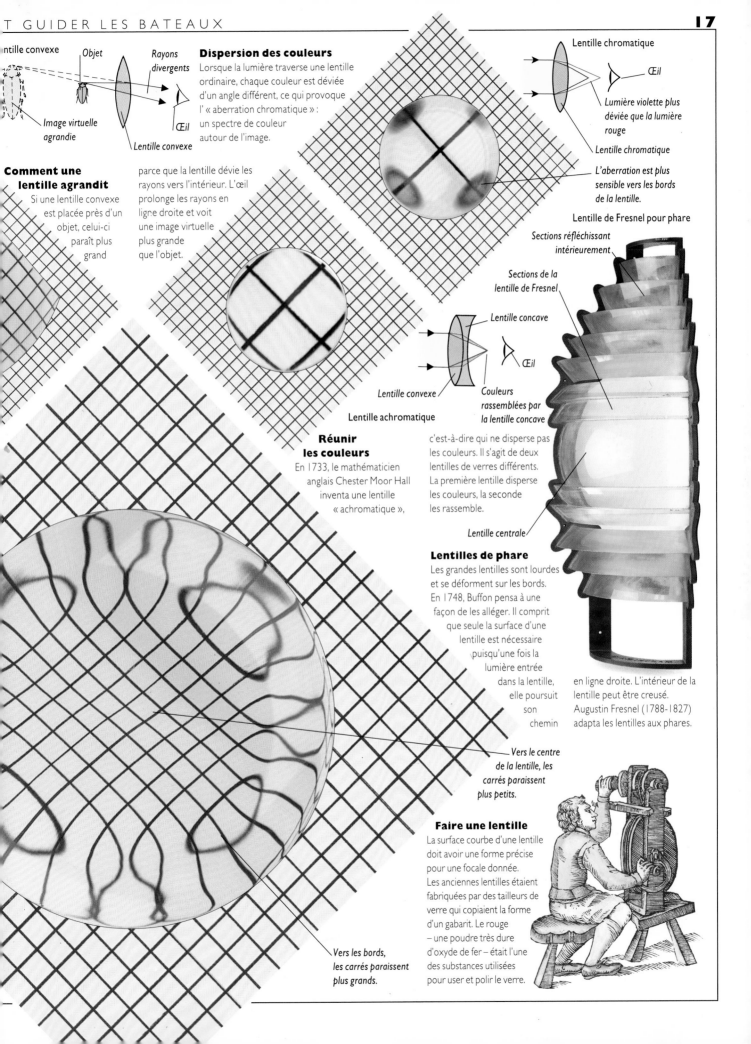

Lentille convexe
Objet
Rayons divergents
Image virtuelle agrandie
Lentille convexe
Œil

Dispersion des couleurs

Lorsque la lumière traverse une lentille ordinaire, chaque couleur est déviée d'un angle différent, ce qui provoque l'« aberration chromatique » : un spectre de couleur autour de l'image.

Lentille chromatique
Œil
Lumière violette plus déviée que la lumière rouge
Lentille chromatique

L'aberration est plus sensible vers les bords de la lentille.

Comment une lentille agrandit

Si une lentille convexe est placée près d'un objet, celui-ci paraît plus grand parce que la lentille dévie les rayons vers l'intérieur. L'œil prolonge les rayons en ligne droite et voit une image virtuelle plus grande que l'objet.

Lentille de Fresnel pour phare

Sections réfléchissant intérieurement
Sections de la lentille de Fresnel
Lentille concave
Œil
Lentille convexe
Couleurs rassemblées par la lentille concave
Lentille achromatique

Réunir les couleurs

En 1733, le mathématicien anglais Chester Moor Hall inventa une lentille « achromatique », c'est-à-dire qui ne disperse pas les couleurs. Il s'agit de deux lentilles de verres différents. La première lentille disperse les couleurs, la seconde les rassemble.

Lentille centrale

Lentilles de phare

Les grandes lentilles sont lourdes et se déforment sur les bords. En 1748, Buffon pensa à une façon de les alléger. Il comprit que seule la surface d'une lentille est nécessaire puisqu'une fois la lumière entrée dans la lentille, elle poursuit son chemin en ligne droite. L'intérieur de la lentille peut être creusé. Augustin Fresnel (1788-1827) adapta les lentilles aux phares.

Vers le centre de la lentille, les carrés paraissent plus petits.

Faire une lentille

La surface courbe d'une lentille doit avoir une forme précise pour une focale donnée. Les anciennes lentilles étaient fabriquées par des tailleurs de verre qui copiaient la forme d'un gabarit. Le rouge – une poudre très dure d'oxyde de fer – était l'une des substances utilisées pour user et polir le verre.

Vers les bords, les carrés paraissent plus grands.

Comment l'œil fonctionne-t-il exactement ? Jusqu'au XIᵉ siècle après J.-C., on croyait communément que l'œil émettait de la lumière et que cette lumière, d'une façon ou d'une autre, formait une image. Les gens pensaient qu'en mettant la main devant leurs yeux, il n'y avait pas d'image parce que la lumière ne pouvait plus sortir. Mais vers 1020, le savant arabe Alhazen comprit que l'œil recevait la lumière plutôt qu'il ne l'émettait. Durant les siècles suivants, les savants étudièrent en détail l'organe de la vue et découvrirent que la lentille de l'œil, le cristallin, projette une image sur un écran vivant, la rétine. Grâce au microscope (p. 22-23), on sait maintenant que la rétine est tapissée de cellules sensibles à la lumière qui envoient des messages au cerveau par l'intermédiaire du nerf optique.

Le globe oculaire est entouré par la cornée, couche protectrice blanche et dure.

Muscles tirant le globe oculaire

Nerf optique

Os orbital

Pupille

Cornée

Réseau de vaisseaux

L'iris, qui donne à l'œil sa couleur, rétrécit la pupille lorsqu'il y a beaucoup de lumière et la dilate lorsqu'il y en a peu.

Formation de l'image

Au XVIIᵉ siècle, Descartes (1596-1650) a expliqué comment l'image se forme sur rétine. Voici un de ses dessins. Sans recourir aux mythes ou à la magie, il s'est uniquement appuyé sur des principes physiques pour découvrir ce qui arrive à la lumière une fois qu'elle pénètre dans l'œil.

Pupille rétrécie parce qu'il y a beaucoup de lumière

L'iris est constitué d'un anneau de muscles qui règle la dimension de la pupille selon l'intensité de la lumière Il donne à l'œil sa couleur.

L'intérieur de l'œil

Ce modèle d'œil humain, fabriqué en France vers 1870, montre les différentes parties qui forment cet organe compliqué et sensible. L'œil est situé dans une cavité osseuse, l'orbite, et est alimenté en oxygène par un fin réseau de vaisseaux sanguins. Des paires de muscles maintiennent l'œil dans l'orbite. Lorsqu'un muscle se contracte, l'œil tourne dans son orbite. À l'arrière de l'œil se trouve le nerf optique qui envoie des signaux électriques au cerveau. À l'avant, il y a la cornée, couche protectrice transparente derrière laquelle la pupille, orifice central, laisse passer la lumière.

Ouverture

L'œil fonctionne aussi bien en pleine lumière que dans l'ombre. Sous la face extérieure se trouve l'iris, sorte de diaphragme dont les contractions lui permettent de supporter les variations de luminosité.

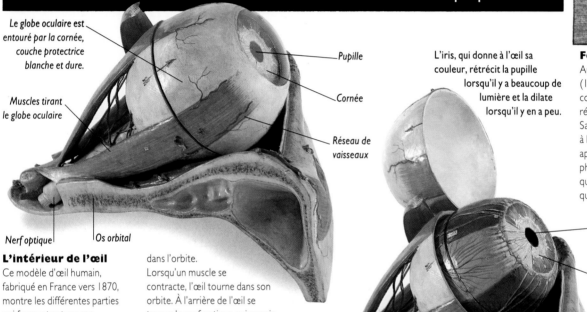

Image de l'objet

Rétine

Lentille (cristallin)

Objet

Cornée

Lumière émise par l'objet

Nerf optique

Point aveugle où les nerfs optiques se rassemblent

Le point aveugle

Une partie de la rétine ne peut pas détecter la lumière. C'est la zone où les fibres venant de toutes les terminaisons nerveuses se rassemblent pour former le nerf optique.

Comment l'œil forme les images ?

L'œil forme les images de la même façon qu'un appareil photo. La lumière traverse une lentille, le cristallin, et impressionne la rétine tapissée de terminaisons nerveuses sensibles à la lumière. Lorsque la lumière les frappe, elles transmettent des signaux au cerveau grâce au nerf optique. L'image est inversée, mais le cerveau en tient compte et rectifie, et cela depuis la naissance.

Arrière du globe oculaire

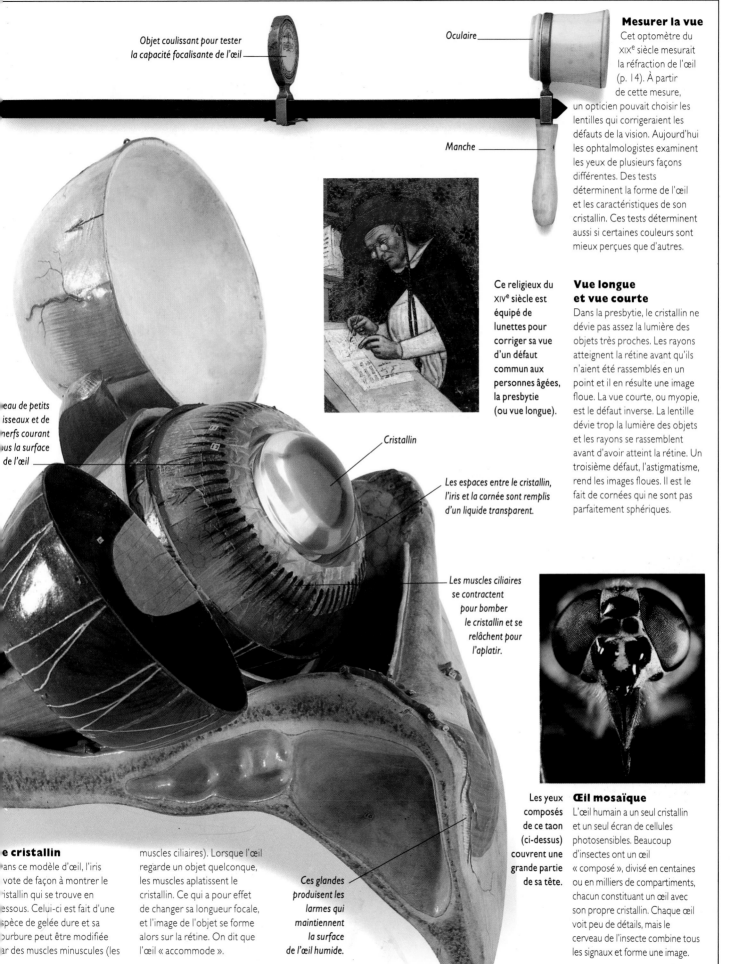

Objet coulissant pour tester la capacité focalisante de l'œil

Oculaire

Manche

Mesurer la vue

Cet optomètre du XIXᵉ siècle mesurait la réfraction de l'œil (p. 14). À partir de cette mesure, un opticien pouvait choisir les lentilles qui corrigeraient les défauts de la vision. Aujourd'hui les ophtalmologistes examinent les yeux de plusieurs façons différentes. Des tests déterminent la forme de l'œil et les caractéristiques de son cristallin. Ces tests déterminent aussi si certaines couleurs sont mieux perçues que d'autres.

Ce religieux du XIVᵉ siècle est équipé de lunettes pour corriger sa vue d'un défaut commun aux personnes âgées, la presbytie (ou vue longue).

Cristallin

Les espaces entre le cristallin, l'iris et la cornée sont remplis d'un liquide transparent.

Vue longue et vue courte

Dans la presbytie, le cristallin ne dévie pas assez la lumière des objets très proches. Les rayons atteignent la rétine avant qu'ils n'aient été rassemblés en un point et il en résulte une image floue. La vue courte, ou myopie, est le défaut inverse. La lentille dévie trop la lumière des objets et les rayons se rassemblent avant d'avoir atteint la rétine. Un troisième défaut, l'astigmatisme, rend les images floues. Il est le fait de cornées qui ne sont pas parfaitement sphériques.

eau de petits isseaux et de nerfs courant us la surface de l'œil

Les muscles ciliaires se contractent pour bomber le cristallin et se relâchent pour l'aplatir.

Les yeux composés de ce taon (ci-dessus) couvrent une grande partie de sa tête.

Œil mosaïque

L'œil humain a un seul cristallin et un seul écran de cellules photosensibles. Beaucoup d'insectes ont un œil « composé », divisé en centaines ou en milliers de compartiments, chacun constituant un œil avec son propre cristallin. Chaque œil voit peu de détails, mais le cerveau de l'insecte combine tous les signaux et forme une image.

e cristallin

ans ce modèle d'œil, l'iris vote de façon à montrer le ristallin qui se trouve en ssous. Celui-ci est fait d'une pèce de gelée dure et sa urbure peut être modifiée ar des muscles minuscules (les muscles ciliaires). Lorsque l'œil regarde un objet quelconque, les muscles aplatissent le cristallin. Ce qui a pour effet de changer sa longueur focale, et l'image de l'objet se forme alors sur la rétine. On dit que l'œil « accommode ».

Ces glandes produisent les larmes qui maintiennent la surface de l'œil humide.

On ne sait pas qui le premier a découvert qu'une paire de lentilles pouvait servir à rapprocher les objets éloignés. Selon certains, cette découverte, faite fortuitement en 1608, en reviendrait à un lunetier hollandais, Hans Lippershey. Toutefois deux autres artisans, Zacharias Jansen (p. 22) et Jacob Adriaanzoonen, en revendiquèrent aussi la paternité. Ce qui est certain, c'est que Lippershey a été le premier à comprendre l'importance du télescope, puisqu'il déposa auprès du gouvernement hollandais une demande de brevet dans l'espoir d'empêcher quiconque de fabriquer et commercialiser cet instrument. Mais sa requête fut repoussée et au bout de quelques mois, on fabriquait des télescopes à travers toute l'Europe.

Le messager des étoile.
C'est le physicien et astronome italien Galilée (1564-1642) qui fait les premières observations télescopiques du ciel, remettant en cause beaucoup de croyances sur les astres.

Vision à l'œil nu
Vue à l'œil nu, la Lune semble très petite. C'est parce que les rayons lumineux de ses bords atteignent l'œil tout près les uns des autres.

Copie d'une lunette de Galilée

Tube coulissant pour régler l'oculaire

Oculaire

Objectif à lentille

LES RÉFRACTEURS, OU LUNETTES

Les premiers télescopes étaient tous des réfracteurs : ils utilisaient des lentilles pour dévier la lumière. Un réfracteur simple possède deux lentilles : une grande à l'avant, l'objectif de longue distance focale ; une plus petite à courte distance focale à l'arrière, l'oculaire, avec lequel on observe l'image formée par l'objectif. Celui-ci focalise les rayons lumineux d'un objet lointain et en donne une image réelle inversée.

La lunette de Galilée
En 1609, Galilée apprend que des lunettes se construisent en Hollande et fabrique aussitôt son propre instrument. Cette lunette est la copie d'une des plus anciennes qu'il ait construites. L'objectif est une lentille convexe et l'oculaire, une lentille concave (dans les autres lunettes, l'oculaire était souvent également convexe). Les premières lunettes de Galilée grossissaient environ trente fois. Il s'en servait pour observer la Lune, les planètes et les étoiles. C'est ainsi qu'il a découvert les quatre plus gros satellites de Jupiter et qu'il a compris que la Voie lactée était faite de millions d'étoiles invisibles à l'œil nu.

très populaire au XVIIIe siècle. Il dispose d'un oculaire à trois lentilles, toutes chromatiques (p. 17), si bien que les images sont brouillées par des franges colorées.

L'intérieur d'un réfracteur
Ce schéma d'un réfracteur reproduit un modèle

Lumière émise par l'objet lointain

Objectif à lentille

Réfracteur ou lunette

Image réelle inversée, donnée par l'objectif

Lentille de l'oculaire qui dévie les rayons et les rend parallèles

Œil qui prolonge les rayons et voit une image agrandie

Schéma d'un réfracteur du XVIIIe siècle

Tube coulissant pour régler l'oculaire

Collecter plus de lumière
Pour donner des images des étoiles très peu lumineuses, un télescope doit collecter le plus de lumière possible.

Oculaire pour observer l'image donnée par l'objectif

L'objectif du télescope de W. Hershel (à droite), construit en 1789, avait un miroir de 120 cm de diamètre.

Ce qui s'obtient en agrandissant l'objectif – lentille ou miroir. Les grandes lentilles sont plus difficiles à fabriquer que les grands miroirs.

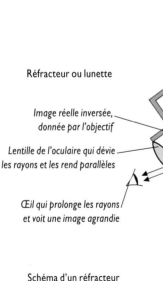

Protège-lentille mobile

Objectif à lentille

La Lune par Galilée

Dès 1610, Galilée a publié de magnifiques dessins de la Lune dans le *Sidereus Nuncius* (*Le Message céleste*). Il y montre la rugosité du sol qu'il voyait dans a lunette. Avant lui, beaucoup d'astronomes pensaient que a Lune était lisse comme un miroir.

La Lune aujourd'hui

Les télescopes modernes montrent les détails du sol lunaire avec ses chaînes de montagnes et ses mers… sans eau.

Objectif à miroir

Miroir secondaire

L'observateur regarde ici.

Télescope de Newton à vue sur le côté

L'observateur regarde ici.

Réglage coulissant du foyer

Rotule de bois pour orienter le télescope

LES RÉFLECTEURS, OU TÉLESCOPES

Avant l'invention des lentilles achromatiques, la dispersion des couleurs posait un problème aux réfracteurs. En 1668, Newton conçut un réflecteur qui réglait ce problème. Il remplaça les lentilles par des miroirs qui ne dispersaient pas la lumière. La lumière collectée par un miroir courbe était réfléchie par un miroir plan. Il y avait deux façons d'observer cette image, soit par un trou percé au centre de l'objectif, soit sur le côté du télescope.

Le réflecteur de Newton

Le télescope de Newton n'était pas sans défauts. Il était trop petit et ses miroirs se ternissaient vite, mais il a prouvé que l'on pouvait utiliser des miroirs pour agrandir les images. C'est l'ancêtre des grands télescopes d'aujourd'hui.

Copie du télescope de Newton

Télescope

Arrivée de la lumière

Miroir secondaire plan (montage Cassegrain)

Miroir secondaire plan (montage Newton)

Objectif à miroir concave

Position de l'observateur (montage Newton)

Position de l'observateur (montage Cassegrain)

En 1665, Robert Hooke publiait la *Micrographia*, où sont réunis des descriptions et des dessins de « corps minuscules » depuis la mouche jusqu'à la puce. Grâce au microscope, qui venait d'être inventé, Hooke montrait des choses jusqu'alors invisibles. À l'époque, on utilisait deux types de microscope : le « simple » à une seule lentille, et le « composé » à deux lentilles ou plus. Hooke disposait d'un microscope composé. Antonie Van Leeuwenhoek, un autre pionnier de l'observation microscopique, utilisait un microscope simple équipé d'une excellente lentille. Il fabriquait ses propres optiques et sa minutie fut récompensée par des résultats exceptionnels. Il a étudié dans le détail de nombreux animalcules et a été le premier à voir des bactéries.

La vie secrète

Le dessin ci-dessus montre un très petit animal agrandi et la gravure à droite représente Leeuwenhoek avec son microscope.

Microscope de Leeuwenhoek (grandeur réelle)

Vis de focalisation

Épingle tenant l'échantillon

Lentille entre deux plaques

Le distance focale était si petite que le microscope devait être tenu très près de l'œil.

Le microscope de Leeuwenhoek

Ce microscope avait une seule lentille d'environ 1 mm d'épaisseur fixée entre deux plaques de métal. L'objet à observer était placé sur une épingle et la mise au point se faisait par un système de vis de focalisation. Selon les modèles, les pouvoirs grossissants variaient de 70 à 250 fois.

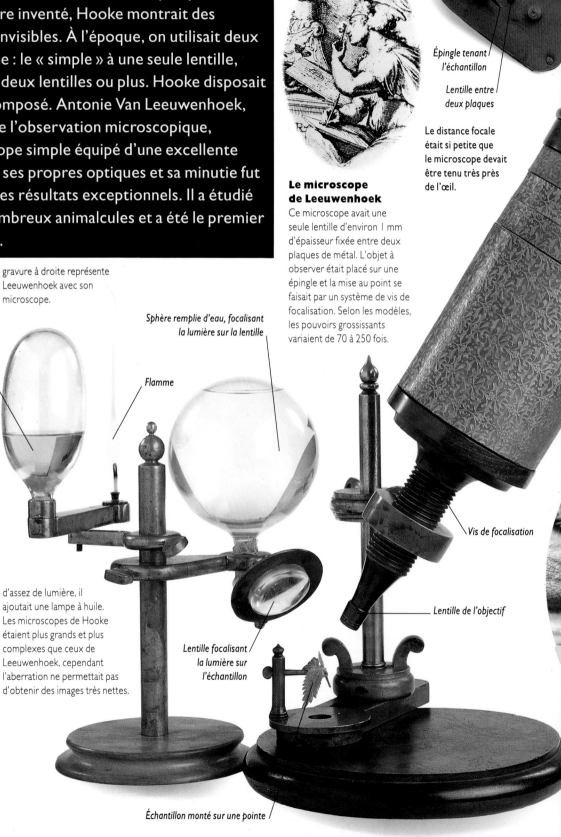

Microscope de Hooke

Réservoir d'huile

Sphère remplie d'eau, focalisant la lumière sur la lentille

Flamme

Le microscope de Robert Hooke

Le microscope composé a été inventé par Zacharias Jansen (1580-1628 ou 1631). Plus tard, Robert Hooke (1635-1703) fabriqua des microscopes à deux ou trois lentilles qu'il commença à utiliser dans les années 1660. Près de l'échantillon à examiner se trouvait l'objectif et à l'autre extrémité l'oculaire, à travers lequel il observait l'image donnée par l'objectif. Entre ces deux lentilles, Hooke interposait parfois une « lentille de champs » destinée à augmenter le champ de vision.
Ses microscopes étaient en bois et en carton recouvert de vélin. La mise au point se faisait en déplaçant le microscope et non l'échantillon : en tournant le microscope, on le montait ou le descendait, grâce à une vis filetée, jusqu'à ce que l'image fût nette. Hooke travaillait habituellement à la lumière du jour, mais s'il ne disposait pas d'assez de lumière, il ajoutait une lampe à huile. Les microscopes de Hooke étaient plus grands et plus complexes que ceux de Leeuwenhoek, cependant l'aberration ne permettait pas d'obtenir des images très nettes.

Vis de focalisation

Lentille de l'objectif

Lentille focalisant la lumière sur l'échantillon

Échantillon monté sur une pointe

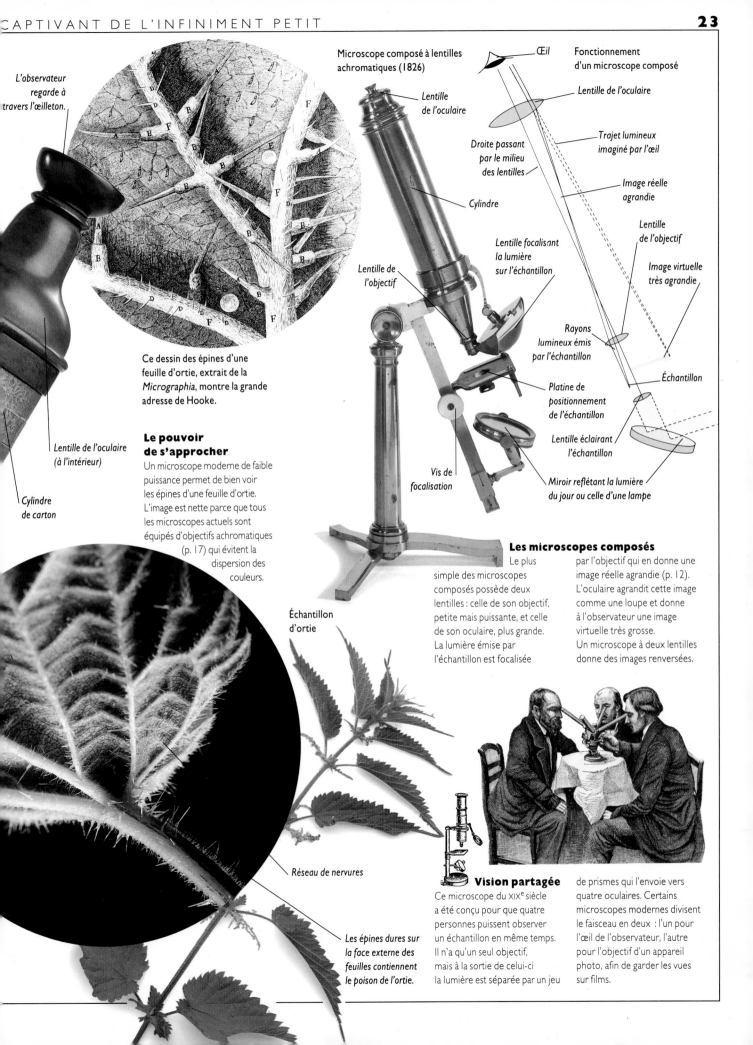

L'observateur regarde à travers l'œilleton.

Ce dessin des épines d'une feuille d'ortie, extrait de la *Micrographia*, montre la grande adresse de Hooke.

Lentille de l'oculaire (à l'intérieur)

Cylindre de carton

Le pouvoir de s'approcher

Un microscope moderne de faible puissance permet de bien voir les épines d'une feuille d'ortie. L'image est nette parce que tous les microscopes actuels sont équipés d'objectifs achromatiques (p. 17) qui évitent la dispersion des couleurs.

Microscope composé à lentilles achromatiques (1826)

Lentille de l'oculaire

Cylindre

Lentille de l'objectif

Lentille focalisant la lumière sur l'échantillon

Vis de focalisation

Platine de positionnement de l'échantillon

Lentille éclairant l'échantillon

Miroir reflétant la lumière du jour ou celle d'une lampe

Échantillon d'ortie

Œil

Fonctionnement d'un microscope composé

Lentille de l'oculaire

Droite passant par le milieu des lentilles

Trajet lumineux imaginé par l'œil

Image réelle agrandie

Lentille de l'objectif

Image virtuelle très agrandie

Rayons lumineux émis par l'échantillon

Échantillon

Les microscopes composés

Le plus simple des microscopes composés possède deux lentilles : celle de son objectif, petite mais puissante, et celle de son oculaire, plus grande. La lumière émise par l'échantillon est focalisée par l'objectif qui en donne une image réelle agrandie (p. 12). L'oculaire agrandit cette image comme une loupe et donne à l'observateur une image virtuelle très grosse. Un microscope à deux lentilles donne des images renversées.

Réseau de nervures

Les épines dures sur la face externe des feuilles contiennent le poison de l'ortie.

Vision partagée

Ce microscope du XIXᵉ siècle a été conçu pour que quatre personnes puissent observer un échantillon en même temps. Il n'a qu'un seul objectif, mais à la sortie de celui-ci la lumière est séparée par un jeu de prismes qui l'envoie vers quatre oculaires. Certains microscopes modernes divisent le faisceau en deux : l'un pour l'œil de l'observateur, l'autre pour l'objectif d'un appareil photo, afin de garder les vues sur films.

Il y a près de 1000 ans, Alhazen (p. 18) a montré comment l'image du soleil se formait dans une chambre noire. La lumière passait à travers un petit trou dans un mur et on obtenait une image sur le mur opposé. La *camera obscura*, ou chambre noire, est alors devenue une curiosité populaire, on y admirait les images du soleil, des rues et des paysages. Vers 1660, des « chambres obscures » ont été équipées de lentilles, d'écrans en papier et même de mécanismes de focalisation. Elles étaient l'équivalent de nos appareils photo modernes, à ceci près qu'elles n'enregistraient pas les images. Il faudra attendre encore plus de 150 ans pour que Nicéphore Niepce découvre une méthode d'enregistrement des images et pour que naisse la photographie.

La plus ancienne photographie
En 1822, Niepce (1765-1833) a réalisé cette vue de sa fenêtre sur une feuille d'étain enduite d'un bitume sensible à la lumière. Après huit heures de pose, il l'a rincée au pétrole. Cette opération eut pour effet de diluer le bitume sauf aux endroits où la lumière l'avait impressionné : le bitume restant formait une image.

William Fox Talbot (1800-1877)

NÉGATIFS ET POSITIFS

La photographie a été inventée par le Français Louis Daguerre au début des années 1830. Mais c'est l'Anglais William Fox Talbot qui mit au point la technique que l'on utilise encore aujourd'hui. Il trempait du papier dans du chlorure d'argent, un produit qui noircit lorsqu'il est exposé à la lumière. Lorsque la lumière impressionne ce papier, elle produit une image « négative ». En utilisant le même procédé pour copier le négatif, on obtient un nombre illimité de tirages « positifs ».

Viseur avec obturateur

Lentille fixe

L'appareil de Talbot
(vu de face)

Image inversée
projetée sur l'écran

Appareil photo expérimental
utilisé par Talbot en 1835

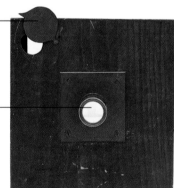

Négatif d'une vue de fenêtre pris avec un temps de pose d'une demi-heure (août 1835).

Obtenir une image
Pour ses premiers essais photographiques, Talbot fabriqua un appareil photo à partir d'une grande boîte. On voit ici une version des appareils qu'il construisit en 1835. La boîte est équipée d'une lentille unique qui donne une image inversée.

Talbot fixait un papier sensible au fond de la boîte et laissait entrer la lumière durant une heure environ. Mais les résultats étaient assez décevants. Il n'arrivait pas assez de lumière sur le papier, si bien que les images manquaient de détails. Talbot régla ce problème en imaginant des appareils beaucoup plus petits, de 6 cm de côté. La lentille était ainsi beaucoup plus près du papier et la lumière incidente plus intense. C'est avec un de ces petits appareils que le négatif que l'on voit à gauche a été obtenu.

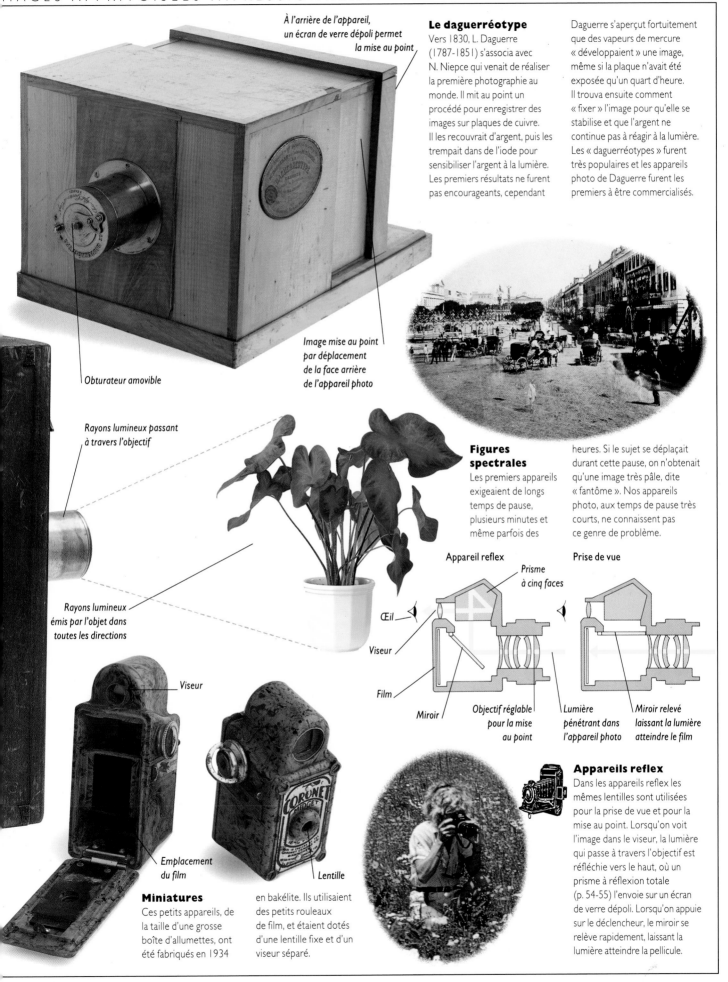

À l'arrière de l'appareil, un écran de verre dépoli permet la mise au point

Obturateur amovible

Image mise au point par déplacement de la face arrière de l'appareil photo

Rayons lumineux passant à travers l'objectif

Rayons lumineux émis par l'objet dans toutes les directions

Viseur

Emplacement du film

Lentille

Œil

Viseur

Film

Miroir

Le daguerréotype

Vers 1830, L. Daguerre (1787-1851) s'associa avec N. Niepce qui venait de réaliser la première photographie au monde. Il mit au point un procédé pour enregistrer des images sur plaques de cuivre. Il les recouvrait d'argent, puis les trempait dans de l'iode pour sensibiliser l'argent à la lumière. Les premiers résultats ne furent pas encourageants, cependant

Daguerre s'aperçut fortuitement que des vapeurs de mercure « développaient » une image, même si la plaque n'avait été exposée qu'un quart d'heure. Il trouva ensuite comment « fixer » l'image pour qu'elle se stabilise et que l'argent ne continue pas à réagir à la lumière. Les « daguerréotypes » furent très populaires et les appareils photo de Daguerre furent les premiers à être commercialisés.

Figures spectrales

Les premiers appareils exigeaient de longs temps de pause, plusieurs minutes et même parfois des

heures. Si le sujet se déplaçait durant cette pause, on n'obtenait qu'une image très pâle, dite « fantôme ». Nos appareils photo, aux temps de pause très courts, ne connaissent pas ce genre de problème.

Appareil reflex

Prise de vue

Prisme à cinq faces

Objectif réglable pour la mise au point

Lumière pénétrant dans l'appareil photo

Miroir relevé laissant la lumière atteindre le film

Appareils reflex

Dans les appareils reflex les mêmes lentilles sont utilisées pour la prise de vue et pour la mise au point. Lorsqu'on voit l'image dans le viseur, la lumière qui passe à travers l'objectif est réfléchie vers le haut, où un prisme à réflexion totale (p. 54-55) l'envoie sur un écran de verre dépoli. Lorsqu'on appuie sur le déclencheur, le miroir se relève rapidement, laissant la lumière atteindre la pellicule.

Miniatures

Ces petits appareils, de la taille d'une grosse boîte d'allumettes, ont été fabriqués en 1934

en bakélite. Ils utilisaient des petits rouleaux de film, et étaient dotés d'une lentille fixe et d'un viseur séparé.

Lorsqu'on prend une photo, l'objectif focalise la lumière et forme une petite image inversée sur le film. Si le film était remplacé par une petite source de lumière, les rayons lumineux emprunteraient le chemin inverse. Le même système de lentilles projetterait une grande image sur un écran et l'appareil photo deviendrait alors un projecteur. Les projecteurs produisent des images fixes, mais si ces images changent rapidement – plus de quinze fois par seconde –, les yeux et le cerveau ne peuvent plus les suivre : au lieu de voir une succession d'images séparées, on voit des images qui semblent enchaînées et on ne remarque que les modifications à l'intérieur des images fixes (par exemple, les positions successives d'un bras en mouvement). Vers 1890, les frères Auguste et Louis Lumière ont utilisé ce phénomène pour animer des images. Ils conçurent des appareils qui prenaient des images en succession rapide et des projecteurs qui les projetaient à la même vitesse. Le résultat fut l'illusion du mouvement : le cinématographe.

Moments magiques
Au XIXe siècle, ce type de lanterne, capable de faire des « fondus enchaînés », était très populaire. Les spectacles attiraient un public nombreux.

Lanterne à lampe à huile

Cette « lanterne magique » a été fabriquée vers 1895. Elle utilisait une lampe à huile à trois mèches pour projeter un faisceau lumineux à travers des images sur verre. Au début du spectacle, le projectionniste allumait la lampe et la plaçait à l'arrière de la lanterne.

Un miroir concave, situé derrière la lampe, réfléchissait la lumière qui était alors concentrée par des condensateurs sur l'image. Un objectif amovible permettait de mettre cette image au point sur un écran. Le projectionniste devait éviter de toucher le sommet de la lanterne, sous peine de se brûler.

« Nouveau modèle de lanterne hélioscopique », vers 1895, vue de dessus

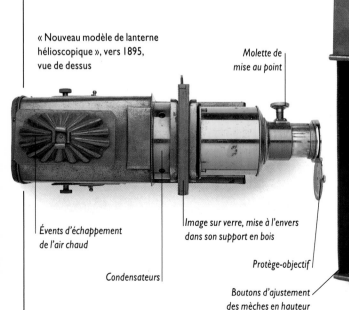

Molette de mise au point

Évents d'échappement de l'air chaud

Image sur verre, mise à l'envers dans son support en bois

Protège-objectif

Condensateurs

Boutons d'ajustement des mèches en hauteur

Fenêtre de contrôle de la lampe à huile

Walter Tyler's
NEW PATTERN
"HELIOSCOPIC LANTERN"
REGD No 73681
48 & 50, WATERLOO ROAD,
LONDON S.E.

PATENT No 1937
3 WICK
REFULGENT LAMP
FOR
MAGIC LANTERNS
5 FLEET ST LONDON

Praxinoscope de 1879

Images en mouvement

Le praxinoscope est un jouet animant des images. Il ne projette pas la lumière mais la réfléchit. La lampe est entourée d'un anneau d'images tournées vers l'extérieur. Chacune fait face à un miroir. L'anneau est tourné manuellement ; si la vitesse est assez grande, les réflexions séparées de chaque miroir s'enchaînent et donnent l'illusion du mouvement.

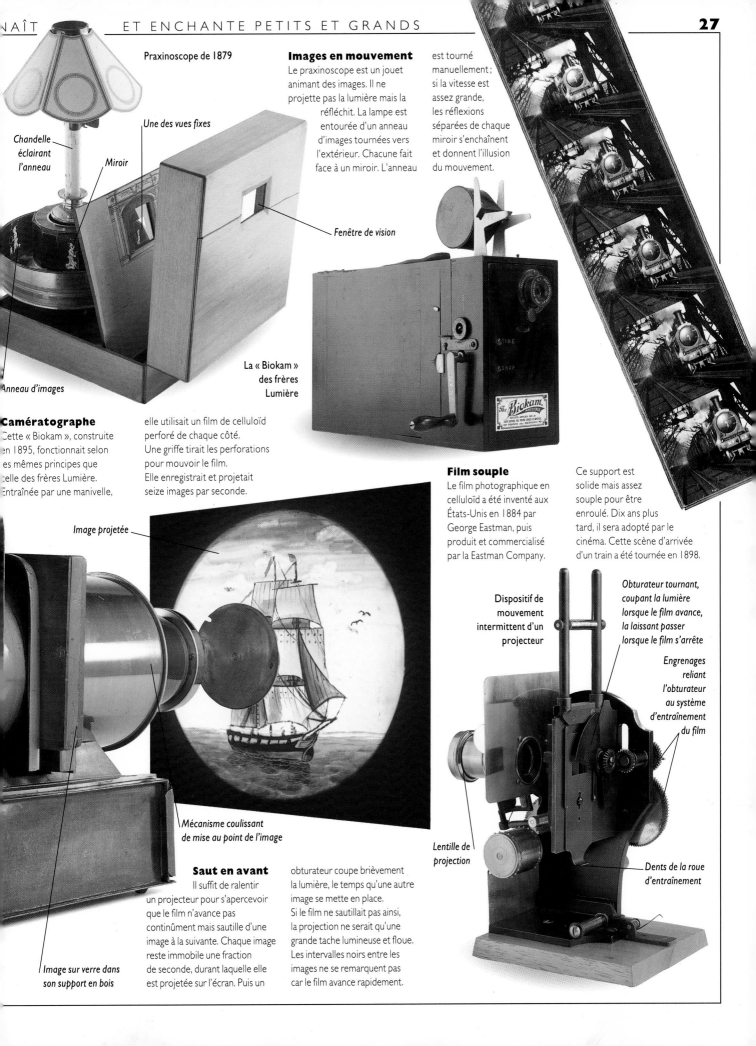

Chandelle éclairant l'anneau

Une des vues fixes

Miroir

Fenêtre de vision

Anneau d'images

La « Biokam » des frères Lumière

Cinématographe

Cette « Biokam », construite en 1895, fonctionnait selon les mêmes principes que celle des frères Lumière. Entraînée par une manivelle, elle utilisait un film de celluloïd perforé de chaque côté. Une griffe tirait les perforations pour mouvoir le film. Elle enregistrait et projetait seize images par seconde.

Image projetée

Film souple

Le film photographique en celluloïd a été inventé aux États-Unis en 1884 par George Eastman, puis produit et commercialisé par la Eastman Company. Ce support est solide mais assez souple pour être enroulé. Dix ans plus tard, il sera adopté par le cinéma. Cette scène d'arrivée d'un train a été tournée en 1898.

Dispositif de mouvement intermittent d'un projecteur

Obturateur tournant, coupant la lumière lorsque le film avance, la laissant passer lorsque le film s'arrête

Engrenages reliant l'obturateur au système d'entraînement du film

Mécanisme coulissant de mise au point de l'image

Lentille de projection

Dents de la roue d'entraînement

Saut en avant

Il suffit de ralentir un projecteur pour s'apercevoir que le film n'avance pas continûment mais sautille d'une image à la suivante. Chaque image reste immobile une fraction de seconde, durant laquelle elle est projetée sur l'écran. Puis un obturateur coupe brièvement la lumière, le temps qu'une autre image se mette en place. Si le film ne sautillait pas ainsi, la projection ne serait qu'une grande tache lumineuse et floue. Les intervalles noirs entre les images ne se remarquent pas car le film avance rapidement.

Image sur verre dans son support en bois

En 1665, la Grande Peste ravage le sud de l'Angleterre. L'université de Cambridge est fermée. Mais un jeune étudiant, Isaac Newton, continue d'étudier chez lui. Cette période de travail intense devait faire de lui la plus grande figure que la science ait connue. Newton se met à étudier l'action d'un prisme sur la lumière. Il remarque qu'un prisme dévie différemment des lumières de couleurs différentes et décide alors d'observer ce qui arrive lorsque la lumière du jour passe à travers un prisme. Il place d'abord son prisme derrière un trou rond, percé dans un de ses volets et par lequel il fait entrer la lumière. Il obtient une image allongée du soleil dont l'extrémité supérieure est bleue et l'extrémité inférieure rouge. Mais lorsqu'il remplace le trou rond par une fente étroite, le résultat devient spectaculaire ; au lieu d'observer une tache de lumière blanchâtre, il distingue une série de bandes colorées : un spectre. De ces expériences, Newton a déduit que la lumière blanche était un mélange de lumières colorées. Son prisme réfractait les couleurs sous des angles différents et les mettait ainsi en évidence en les « dispersant ».

Faisceau de lumière du jour venant du petit trou percé dans le volet

Les expériences du prisme de Newton

« Dans une chambre très sombre, au trou rond fait dans le volet de ma fenêtre, j'ai placé un prisme de verre… » Ainsi commence l'un des chapitres de l'*Optique*, le livre où Newton décrit ses expériences sur la lumière et les couleurs. Newton ne s'est pas contenté de disperser la lumière blanche en un spectre, il a aussi étudié une à une les couleurs dispersées par un prisme et les a recombinées. Dans l'expérience cruciale montrée ici, la lumière blanche, dispersée par un prisme, se décompose en un spectre. Ce spectre tombe sur un écran où une fente étroite ne laisse

passer qu'une bande colorée. Puis cette lumière colorée passe à travers un deuxième prisme qui la dévie d'un certain angle mais ne la disperse plus en diverses couleurs. Ce qui montre que les couleurs ne sont pas réellement produites par le prisme mais qu'elles composent la lumière blanche.

Premier prisme dispersant la lumière en un spectre de couleurs

Spectre s'élargissant avant de rencontrer l'écran

Isaac Newton

L'œuvre de Newton a dominé la physique pendant plus de deux siècles. Il a publié deux des plus importants livres scientifiques jamais écrits : les *Principes* (1687), qui exposent la théorie de la gravitation et en tirent les lois du mouvement ; et l'*Optique*

(1704), qui analyse les propriétés de la lumière. En 1703, il devient président de la Royal Society, académie fondée en 1662. Penseur brillant et indépendant, Newton n'était pas un homme facile à vivre.

Disperser et combiner

Ce schéma, qui doit être lu de droite à gauche, est extrait de l'*Optique* que Newton publia en 1704. Il décrit comment un faisceau de lumière du jour peut être dispersé en des différentes couleurs, puis recombiné pour redonner de la lumière blanche. La lumière passe d'abord à travers un prisme, puis à travers une lentille qui fait converger les

différentes couleurs sur un second prisme. Celui-ci dévie alors les rayons convergents, de telle sorte qu'ils deviennent parallèles et forment un faisceau

de lumière blanche. Newton utilisait un troisième prisme pour disperser de nouveau la lumière blanche en un spectre qui tombait sur un écran. Il constata que s'il

« coupait » une des couleurs à la sortie du premier prisme, celle-ci disparaissait du spectre projeté sur l'écran.

Gemmes scintillantes

Un diamant taillé se comporte comme une série de prismes. Lorsque la lumière le traverse, les couleurs sont séparées puis réfléchies par la face arrière de la pierre. L'angle de chaque facette est calculé pour que le diamant donne tout ses « feux ».

Les couleurs du ciel

Newton a traité de l'arc-en-ciel dans son *Optique*. Il affirmait que la réfraction (p. 14) jouait là un rôle décisif et qu'un arc-en-ciel apparaissait lorsque la lumière du soleil traversait des gouttes de pluie. Pourtant, sur cette question, il n'était pas le premier. Avant lui, Descartes (p. 18) avait expliqué les mécanismes qui sont à l'origine de l'arc-en-ciel. Mais, comme le montre ce schéma, Newton a découvert précisément comment la lumière se dispersait, et comment pouvait se former non seulement un mais deux arcs-en-ciel.

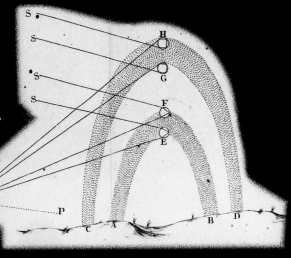

L'arc d'alliance

Dans la Bible, l'arc-en-ciel annonce la fin du Déluge et la nouvelle alliance entre Dieu et son peuple. Une légende prétend que si l'on creuse le sol où l'un des pieds de l'arc-en-ciel repose, on y trouve de l'or. Mais le pied d'un arc-en-ciel est introuvable puisque l'arc recule au fur et à mesure que l'observateur s'avance.

Lumière rouge déviée mais de même couleur après passage dans le prisme

Lumière rouge passée par la fente

Lumière traversant un second prisme qui la réfracte sous un angle donné

Lumière rouge non réfractée parce qu'elle a frôlé le prisme sans le traverser.

Fente étroite dans l'écran isolant une seule couleur

Arc-en-ciel primaire

Dans un arc-en-ciel primaire, la lumière blanche est réfléchie une seule fois dans les gouttes d'eau. Les couleurs sont dispersées lorsque la lumière entre et sort de la goutte. La vision des couleurs dépend de la position des gouttes dans le ciel. Le rouge est donné par les gouttes qui, pour l'observateur, sont à 42° au-dessus de l'horizon, et le bleu, par celles qui sont à 40° ; les autres couleurs, par les gouttes qui sont entre ces deux angles.

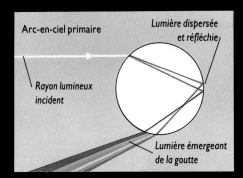

Arc-en-ciel primaire — *Lumière dispersée et réfléchie* — *Rayon lumineux incident* — *Lumière émergeant de la goutte*

Double arc-en-ciel

Un arc-en-ciel est formé par le passage de la lumière du soleil à travers les gouttes d'eau de l'atmosphère, qui réfléchissent, réfractent et dispersent cette lumière. Dans un arc-en-ciel « primaire », les couleurs sont dues à la lumière qui entre par la face supérieure des gouttes. Un arc-en-ciel « secondaire » peut se former avec la lumière qui entre par la face inférieure. Il faut pour cela que la lumière solaire soit très brillante et que les gouttes d'eau soient uniformément réparties.

Arc-en-ciel secondaire — *Lumière émergeant de la goutte* — *Lumière réfléchie une seconde fois* — *Rayon lumineux incident* — *Lumière dispersée et réfléchie*

Arc-en-ciel secondaire

Un second arc-en-ciel peut se former au-dessus du premier. La lumière est réfléchie deux fois dans chaque goutte d'eau et émerge sous un angle plus grand par rapport au sol. L'ordre des couleurs est inversé : l'arc-en-ciel secondaire semble être une réflexion du premier. Le rouge provient des gouttes qui sont à 50° au-dessus de l'horizon ; le bleu, de celles qui sont à 54°.

Couleurs tournantes

Cette toupie du XIXe siècle est
fondée sur le même principe
que la roue colorée de Newton
(ci-dessous). Lorsqu'elle tourne,
les couleurs s'additionnent
et on ne distingue plus
qu'une seule couleur.

Lorsque de la lumière verte et de la lumière rouge se
superposent sur un écran, quelle couleur voit-on ?
Ni un vert rougeâtre ni un rouge verdâtre, mais une
couleur nouvelle : le jaune. Si une troisième couleur
– le bleu – est ajoutée, tout change de nouveau :
au lieu d'un bleu rougeâtre ou verdâtre, du blanc
apparaît. Lorsque Newton effectuait ses expériences
sur la dispersion de la lumière (p. 28-29), il fabriquait de
la lumière blanche à partir de toutes les couleurs du spectre.
Les expériences décrites sur ces deux pages vont montrer que tout
le spectre n'est pas nécessaire pour obtenir de la lumière blanche :
il suffit de disposer de rouge, de vert et de bleu – mais on peut
aussi prendre du rouge, du bleu et du jaune. Par des
combinaisons variées, trois couleurs permettent
de fabriquer n'importe quelle autre couleur.
C'est pourquoi on les appelle les
couleurs primaires additives.

*Quand la roue est
immobile, on voit
chaque couleur
séparément.*

Lumière rouge

*Quand le disque
tourne, on ne voit
qu'une couleur.*

**Le disque coloré
de Newton**

Newton a imaginé un disque qui
met en évidence le résultat de
l'addition des couleurs.
Cette copie du XIXe siècle est
recouverte d'une série de six
couleurs, répétée quatre fois.
Si le disque tourne plus de
100 tours à la minute, l'œil ne
saisit pas les six couleurs
séparément, le cerveau les
additionne et l'on ne voit qu'une
seule couleur, ici le brun clair.

**Les
couleurs
secondaires**

Lorsque des faisceaux de
couleurs primaires (bleu, vert
et rouge) se chevauchent, les
yeux reçoivent un mélange
de couleurs que le cerveau
interprète comme une couleur
nouvelle. La superposition des
trois couleurs donne du blanc
(celui-ci n'est pur que si le
mélange des couleurs est
équilibré). Là où deux couleurs

seulement
se superposent,
elles produisent une
couleur dite secondaire.
Les trois couleurs
secondaires sont le cyan,
le jaune et le magenta.

Disque coloré de Newton

La peinture par points

Le pointillisme était une technique picturale qui fut rendue célèbre par des peintres néo-impressionnistes tels que Georges Seurat (1859-1891). Ils exécutaient leurs toiles en juxtaposant des petits points de différentes couleurs. Si l'on regarde une peinture pointilliste de près, on distingue chaque point de couleur différente, mais à une certaine distance, les points s'ajoutent les uns aux autres pour ne former qu'une seule couleur.

Lumière bleue

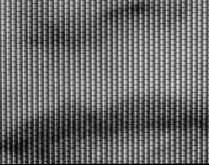

Lumière verte

La couleur sur écran

Une image télévisée est constituée de petites lignes rouges, vertes et bleues. Vues à une certaine distance, les lignes voisines s'additionnent. L'écran ne produit pas de couleurs, comme par exemple le jaune, il peut seulement donner l'illusion du jaune par la vision mêlée des lignes vertes et rouges voisines les unes des autres.

Montrer les couleurs cachées

Un spectroscope est un appareil qui disperse les couleurs. Il est utilisé entre autres, pour voir si les couleurs – qu'elles soient émises ou réfléchies – sont pures ou obtenues par addition.

Le mélange du rouge et du bleu donne du magenta.

Le mélange du bleu et du vert donne du cyan.

Le mélange des trois couleurs additives donne du blanc.

Le mélange du rouge et du vert donne du jaune.

Le spectroscope montre que la lumière réfléchie n'est composée que de rouge.

Le spectroscope montre que la lumière réfléchie est composée de rouge et de vert.

Poivron rouge

Poivron jaune

Toutes les choses visibles émettent de la lumière, mais certaines produisent de la lumière, et d'autres la réfléchissent. Une ampoule produit de la lumière grâce à l'énergie électrique qui chauffe son filament. Si une lampe éclaire un mur, le mur lui-même émet de la lumière sans être source de lumière : il réfléchit une partie de celle qu'il reçoit. Les choses qui ne produisent pas de la lumière sont colorées par « soustraction ». Lorsque de la lumière blanche les éclaire, elles absorbent certaines de ses couleurs et réfléchissent ou transmettent les autres. Les feuilles des arbres sont vertes parce qu'elles absorbent presque toutes les couleurs de la lumière solaire, sauf une : le vert, qu'elles réfléchissent. Les substances qui soustraient les couleurs sont utilisées en poudres colorantes, teintures, peintures et encres. Toutes ces substances colorent notre univers quotidien en volant des couleurs !

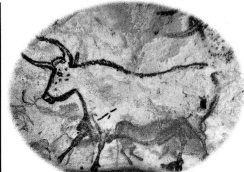

Peintures préhistoriques

Les peintures rupestres sont les plus anciens témoignages de l'art. Elles ont été exécutées avec des pigments provenant de roches, comme l'ocre rouge, et avec du charbon de bois. Au fil des ans, ces pigments perdent leur éclat à la lumière du jour, mais la plupart se trouvant sous terre, dans le noir, ils sont préservés.

Ici, le triangle et le cercle se superposent, le rouge et le bleu sont absorbés ; il reste le vert

Cyan

Ici, le triangle et le carré se superposent, rouge et vert sont absorbés et il reste le bleu.

Couleurs restantes

Lorsque les trois couleurs primaires sont combinées deux à deux, on obtient les trois couleurs secondaires (p. 30-31). On voit ici ce qui arrive lorsque les couleurs secondaires – le cyan, le jaune et le magenta – sont éclairées par de la lumière blanche. Chaque forme colorée absorbe (ou soustrait) une seule couleur primaire de la lumière blanche. Mais le cerveau mélange les couleurs restantes, d'où la couleur résultante. Au centre, où les trois formes se superposent, les trois couleurs primaires sont soustraites : il ne reste aucune couleur, c'est le noir. Le blanc ne peut pas être fabriqué par soustraction de couleurs, c'est pourquoi il est impossible d'obtenir du blanc en mélangeant des teintures ou des peintures.

Magenta

Fabriquer du magenta

Ce carré absorbe le vert de la lumière blanche et réfléchit le bleu et le rouge qui lui donnent sa couleur magenta.

Le cercle et le carré se superposent, le bleu et le vert sont absorbés ; il reste le rouge.

Il ne reste pas de lumière.

Fabriquer du noir

Là où les trois figures géométriques se superposent, le rouge, le vert et le bleu sont absorbés.

Colorants culinaires

Aujourd'hui, de nombreuses substances artificielles sont utilisées pour colorer les aliments. Autrefois, beaucoup de colorants culinaires étaient extraits de plantes ou d'animaux. La cochenille, une teinture écarlate, était fabriquée à partir de petits insectes qui se nourrissent de certains cactus. Ces insectes étaient soigneusement recueillis à la main, puis écrasés pour en extraire la teinture.

Flacon de cochenille, un colorant naturel

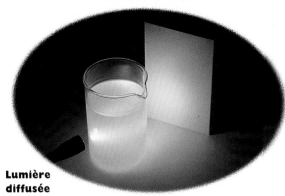

Lumière diffusée

Lorsque de la lumière blanche passe à travers un verre d'eau contenant quelques gouttes de lait, la lumière bleue est diffusée par les petites particules en suspension dans l'eau. La lumière rouge, elle, n'est pas diffusée. Ce phénomène est la diffusion Rayleigh qui illumine les liquides et les teinte en bleu. La fumée est aussi quelquefois bleuâtre à cause de la diffusion Rayleigh par les petites particules de cendre.

Fabriquer du cyan

Ce triangle absorbe le rouge de la lumière blanche et réfléchit le vert et le bleu qui lui donnent sa couleur cyan.

Les couleurs de la lumière solaire

La couleur de la lumière du soleil change lorsqu'elle traverse l'atmosphère parce que l'air absorbe certaines couleurs plus que d'autres. Ce phénomène est net au crépuscule. Tout d'abord, la lumière est jaune. Puis au fur et à mesure que le soleil se rapproche de l'horizon, sa lumière traverse une couche d'atmosphère de plus en plus épaisse et devient orange puis rouge, car l'air absorbe de plus en plus le bleu, laissant le rouge.

Jaune

Aujourd'hui, la plupart des colorants sont artificiels.

Teintures artificielles

En 1856, un jeune chimiste anglais, William Perkin, fit une découverte qui allait faire de lui un géant de l'industrie. Alors qu'il tentait d'extraire de la quinine de dérivés de la houille, il produisit fortuitement une substance très colorée, qu'on appela la « mauvéine ». Perkin pressentit que cette mauvéine avait un grand avenir comme colorant. Sa fabrication lui assura effectivement la fortune.

William Perkin
(1838-1907)

Flacon de mauvéine, un colorant artificiel

Châle coloré au mauve de Perkin

Fabriquer du jaune

Ce cercle absorbe le bleu de la lumière blanche et réfléchit le rouge et le vert qui lui donnent sa couleur jaune.

Échantillons de couleurs artificielles

Le comportement de la lumière est facile à étudier. Mais de quoi est-elle faite et comment se déplace-t-elle ? À la fin du XVIIe siècle, Newton (p. 28) tenta de répondre à ces questions. Il arriva à la conclusion que la lumière pouvait être un système d'ondes ou de particules et refusa d'éliminer une de ces deux hypothèses. Toutefois, comme la théorie des particules rendait compte plus simplement de la plupart des phénomènes connus, elle fut adoptée par les disciples de Newton. Le physicien hollandais Christiaan Huygens ne fut pas convaincu par la théorie des particules. En 1690, il avança une série de raisons en faveur d'une théorie ondulatoire, mais il fallut attendre plus de 100 ans pour qu'une expérience importante (p. 36) ressuscite la théorie ondulatoire. Au début du XXe siècle, de nouvelles découvertes (p. 44) montrèrent que, d'un certain point de vue, aussi bien les partisans de Newton que ceux de Huygens avaient raison.

Les particules, ou les ondes, rebondissent sur le miroir et donnent une image inversée de la chandelle.

La flamme émet des particules, o des ondes, q se propager dans toutes les direction

Comprendre la lumière

La lumière a trois propriétés importantes : elle se propage en ligne droite, elle est réfléchie et elle est déviée lorsqu'elle passe d'un milieu à un autre. Ces deux pages montrent comment les deux théories de la lumière – celle des particules et celle des ondes – expliquent chacune de ces propriétés.

Lumière et ondes

Huygens construisit la première horloge à pendule et découvrit la vraie forme des anneaux de Saturne. Dans son *Traité de la lumière*, il rejette la théorie des particules et affirme que, puisqu'elle se déplace si rapidement, la lumière doit être constituée d'ondes. Ces ondes lumineuses sont transmises par l'« éther », un fluide très ténu et invisible répandu à travers tout l'espace. Le Principe de Huygens stipule que chaque point d'une onde émet ses propres petites ondes qui se superposent pour former un front d'ondes. Ce principe explique bien la réfraction et le fait que les rayons lumineux se croisent sans se briser.

Christiaan Huygens (1629-1695)

Modèle ondulatoire de Huygens

Ondes lumineuses se propageant dans toutes les directions

Point de l'onde devenant la source d'une nouvelle ondelette

Rayons lumineux transmis en ligne droite

Petites ondes se combinant pour former un front d'ondes

La formation des ondes

Longtemps après Newton et Huygens, le physicien anglais Charles Wheastone (1802-1875) construisit cette maquette pour montrer la formation des ondes lumineuses. Les perles blanches représentent l'éther, une substance imaginée pour propager les ondes lumineuses. Huygens pensait que l'éther vibrait dans la direction de propagation de la lumière, se compressant et se dilatant au rythme des ondes lumineuses. Aujourd'hui, on pense que l'éther n'existe pas.

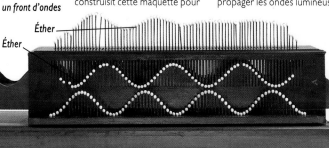

Éther

Éther

Machine de Wheastone

Ondes et réflexion

Selon la théorie ondulatoire, une source lumineuse émet des ondes qui s'étendent dans toutes les directions. Si certaines de ces ondes rencontrent un miroir, elles sont réfléchies selon le même angle que celui sous lequel elles rencontrent le miroir. La réflexion inverse chaque onde, c'est pourquoi l'image est inversée. Ce schéma montre ce qui se passe. La forme des ondes dépend de la grandeur de la source lumineuse

et de la distance qu'elles ont parcourue. Le front d'ondes d'une petite source proche sera très courbé, celui d'une source lointaine le sera moins.

Ondes lumineuses

Miroir

Ondes réfléchies et inversées

Particules et réflexion

Le mécanisme de la réflexion est très simple selon la théorie des particules. La lumière tombe sur le miroir comme une pluie de petites balles qui rebondissent. Ces particules sont très petites et un rayon lumineux en contient un grand nombre. Les rayons rebondissent en différents points et leur ordre est inversé par la réflexion, ce qui donne une image inversée.

Particules de lumière se propageant vers le miroir

Particules réfléchies et inversées s'éloignant du miroir

Miroir

Face sombre absorbant plus de lumière et devenant plus chaude que la face claire

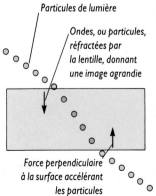

Radiomètre de Crookes

La pression lumineuse

Si la lumière est constituée de particules, elle devrait exercer une pression sur les surfaces qu'elle rencontre. C'est effectivement ce qu'elle fait, mais la pression est très faible. William Crookes (1832-1919) a inventé un dispositif pour mettre cette faible pression en évidence.

Molécules d'air chauffées par l'énergie thermique de la face sombre, s'éloignant et faisant tourner l'ailette

Dans ce radiomètre, la lumière fait tourner un jeu d'ailettes en équilibre. La bouteille de verre est remplie d'air sous une faible pression. Les molécules d'air chauffé s'éloignent des ailettes et les font tourner. Mais si l'on fait le vide, les ailettes s'arrêtent, la pression lumineuse seule ne peut pas les faire tourner.

Particules et ombres

Puisque la lumière progresse en ligne droite, si un obstacle s'interpose sur le chemin des particules, celles-ci sont stoppées et une ombre se dessine derrière l'obstacle. C'est ce qu'enseigne l'expérience quotidienne. Toutefois, cette idée est contredite par une découverte

que Grimaldi fit en 1665 : à très petite échelle, de la lumière peut se faufiler dans l'ombre.

Source lumineuse

Obstacle

À grande échelle, ombre projetée sur la zone que les particules ne peuvent pas atteindre

Particules

Ondes et ombres

À très petite échelle, les ombres ne sont pas aussi simples qu'il y paraît. Si la lumière passe à travers une fente étroite (p. 36-37), elle se propage à la sortie et le faisceau est plus large que prévu. Ce phénomène est très difficile à expliquer par la théorie des particules, mais facile par celle des ondes. Les ondes sur

l'eau et les ondes sonores s'élargissent aussi à la sortie d'un passage étroit : si la lumière est aussi une onde, elle doit pouvoir en faire autant.

Ondes lumineuses

Ondes s'élargissant autour du petit obstacle

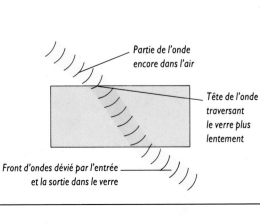

Force opposée freinant les particules

Ombre projetée par les objets qui stoppent la progression des particules ou des ondes

Ondes et réfraction

Selon la théorie ondulatoire, si un faisceau lumineux pénètre dans un bloc de verre, une partie de chaque onde rencontre le verre avant le reste. Cette partie commence à se mouvoir plus lentement dans le verre que dans l'air. Cela explique que le front d'ondes soit dévié et qu'il y ait réfraction.

Partie de l'onde encore dans l'air

Tête de l'onde traversant le verre plus lentement

Front d'ondes dévié par l'entrée et la sortie dans le verre

Particules et réfraction

Newton a eu du mal à expliquer pourquoi les particules de lumière changeaient de direction en passant de l'air au verre. Il pensait qu'une force les accélérait lorsqu'elles entraient dans le verre et les freinait lorsqu'elles en sortaient, ce qui est faux.

Particules de lumière

Ondes, ou particules, réfractées par la lentille, donnant une image agrandie

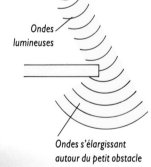

Force perpendiculaire à la surface accélérant les particules

Ayant étudié la voix et la vision, l'Anglais Thomas Young a émis l'hypothèse que la lumière, comme le son, devait se propager sous forme d'ondes. Après Francesco Grimaldi (p. 35), il remarqua que les rayons lumineux divergent – ou sont diffractés – lorsqu'ils franchissent une très petite fente. Il étudia ce qui arrive lorsque la lumière passe par deux fentes côte à côte et constata que si les fentes sont larges et éloignées l'une de l'autre, il se forme sur un écran deux taches lumineuses qui se recouvrent ; mais si les fentes sont étroites et proches, il se forme des bandes colorées, dites « franges d'interférences ». Young comprit que ces franges ne pouvaient être produites que par des ondes.

Comment produire des ondes

Les ondes lumineuses interfèrent, comme les ondes que l'on voit sur l'eau. Si la surface d'une flaque d'eau est touchée avec le pouce et l'index, deux séries d'ondes sont émises. Comme les ondes lumineuses, elles se propagent dans toutes les directions. Là où deux ondes en phase se rencontrent, il y a interférence constructive et formation d'une vague un peu plus grosse. Là où deux ondes déphasées se rencontrent, il y a interférence destructive et élimination réciproque.

Comment la lumière se diffracte

Le réseau de diffraction montré à gauche est un morceau de verre où sont gravées une multitude de petites fentes parallèles, à travers lesquelles passe la lumière. Toutes les ondes lumineuses interfèrent entre elles, ce qui produit des raies colorées. Sur un réseau de diffraction classique, il y a environ 3 000 stries par centimètre, toutes à la même distance les unes des autres.

Thomas Young

En même temps que Fresnel (p. 17), Young (1773-1829) montra que la lumière se comporte comme un système d'ondes. Il en conclut que les différentes couleurs sont dues à des ondes de longueurs différentes. Ses théories ne furent pas acceptées immédiatement. Au XVIIIe siècle, il était admis que la lumière était constituée de particules et il fallut du temps pour changer de point de vue.

Comment se forment des interférences

Dans l'expérience de Young, la lumière passe à travers une première fente étroite et celle-ci diffracte la lumière. Puis elle atteint un écran percé de deux fentes étroites proches l'une de l'autre qui créent deux sources de lumière diffractée. Les ondes émises à la sortie de chaque fente se superposent, parfois parfaitement en phase, parfois légèrement ou totalement déphasées. Si elles sont en phase, les ondes s'additionnent et il y a interférence constructive. Si elles sont déphasées, elles s'éliminent mutuellement et il y a interférence destructive. L'effet de ces deux sortes d'interférences s'observe sur un écran où elles produisent des raies brillantes ou sombres suivant qu'elles s'additionnent ou s'éliminent. Une bulle de savon, un compact disc ou des ailes de papillon sont des réseaux de diffraction qui créent des figures d'interférences.

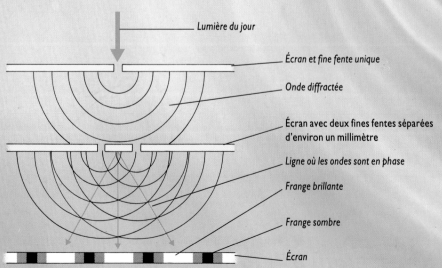

Lumière du jour

Écran et fine fente unique

Onde diffractée

Écran avec deux fines fentes séparées d'environ un millimètre

Ligne où les ondes sont en phase

Frange brillante

Frange sombre

Écran

Pouce et index se comportant
comme deux sources d'ondes

Interférence destructive de deux ondes
déphasées : la surface de l'eau est lisse.

Interférence constructive de deux ondes
en phase : formation d'une crête plus haute
ou d'un creux plus profond

Les boutons de Barton

Ces boutons de métal ont été fabriqués vers 1830 par John Barton. De fines lignes strient leur surface ; elles se comportent comme un réseau de diffraction et réfléchissent la lumière du jour de telle sorte que les ondes voisines interfèrent entre elles et produisent des moirages.

Contourner les obstacles

Dans les circonstances ordinaires, la lumière semble se propager en ligne droite. Mais en 1665, Grimaldi avait déjà remarqué que la lumière était déviée et divergeait lorsqu'elle passait par une fente étroite. Il appela cette déviation la diffraction. Aujourd'hui les objectifs des microscopes et des appareils photo nous montrent comment la lumière est diffractée par les arêtes vives de leurs bords. Sur cette photographie prise à travers un filtre spécial, on voit comment la lumière contourne une vis, lui donnant un contour frisotté.

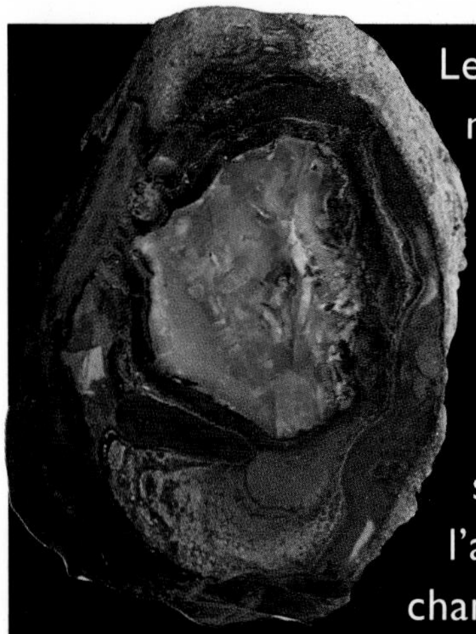

Les interférences peuvent être observées non seulement en laboratoire mais aussi dans notre univers quotidien. Elles donnent quelques-unes des couleurs les plus brillantes et des dessins les plus complexes. Les couleurs des interférences ne sont pas créées de la même façon que celles des colorants (p. 32-33). À la lumière du jour, une surface colorée, comme un papier bleu, apparaît toujours de la même couleur, quel que soit l'angle sous lequel on la regarde. Il n'en est pas de même d'une tache d'huile à la surface de l'eau ou d'une plume de paon, dont les couleurs dépendent de l'angle sous lequel on les observe. Si l'on bouge la tête, leurs couleurs irisées changent ou peuvent disparaître, ceci parce qu'elles sont produites par la forme de surfaces distinctes mais très proches les unes des autres. Les surfaces réfléchissent la lumière d'une certaine manière et les rayons réfléchis interfèrent les uns avec les autres.

Opale irisée

L'opale (ci-dessus) est constituée de microscopiques sphères de silicate, empilées en couches régulières. Chaque sphère réfléchit la lumière, et les rayons réfléchis interfèrent en produisant des couleurs brillantes. En tournant l'opale, on voit des couleurs différentes.

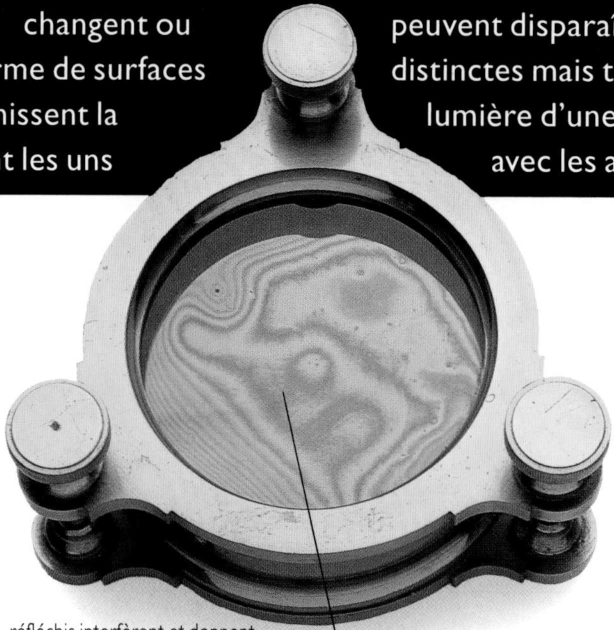

Les anneaux de Newton

Lorsqu'une lentille convexe est posée sur une plaque de verre plane, la lumière est réfléchie par la plaque et par la face inférieure de la lentille. Les deux groupes de rayons réfléchis interfèrent et donnent des « anneaux de Newton », du nom de celui qui a été le premier à les étudier.

Interférences créant des bandes colorées

Des yeux brillants

Ces ocelles de plumes de paon (ci-dessous) sont colorés par de minuscules verges de mélanine. Ces verges sont disposées de telle sorte que la lumière qu'elles réfléchissent interfère.

L'intérieur d'une coquille

Les belles couleurs argentées de l'intérieur de cette coquille d'huître sont dues à de très fines couches d'un minéral dur, la nacre. Chaque couche réfléchit la lumière et les rayons issus de ces réflexions interfèrent. Les couleurs métalliques de certains coléoptères sont produites de la même façon par de minces couches de chitine.

Interférences destructives

Interférences constructives

Rayon lumineux

Surface extérieure de la bulle

Surface intérieure de la bulle

Front d'ondes déphasées (interférences destructives)

Front d'ondes en phase (interférences constructives)

Petit trajet à travers la mince épaisseur de la bulle

Trajet plus long dans une partie plus épaisse de la bulle

Belles bulles bigarrées

Les couleurs des bulles de savon sont produites par les réflexions sur les surfaces intérieure et extérieure de la bulle.

Les couleurs varient selon l'épaisseur, très faible, de la paroi de la bulle.

Bulles de savon

Une partie de la lumière est réfléchie par la surface extérieure de la bulle, une autre par la surface intérieure. Ces deux rayons parcourent des distances différentes. Si leur différence correspond à un nombre exact de longueurs d'onde d'une certaine couleur, cette dernière apparaît (interférence constructive), sinon, elle n'apparaît pas (interférence destructive).

Disc compact

Les sillons d'un disc compact se comportent comme les stries d'un réseau de diffraction. La lumière réfléchie par chaque sillon interfère avec celle des sillons voisins, d'où ces couleurs brillantes.

Bijou vivant

Le bleu intense de ce papillon est dû à la forme des petites écailles de ses ailes. Chaque écaille est couverte d'ailettes perpendiculaires dont la distance qui les sépare représente exactement la moitié de la longueur d'onde de ce bleu.

Les ailettes se comportent comme un réseau de diffraction (p. 36-37). Lorsque de la lumière blanche tombe sur ces ailes, la lumière bleue est réfléchie et produit des interférences constructives qui donnent cette couleur brillante.

Écailles d'aile de papillon fortement grossies

Aile grossie de papillon

Ailettes perpendiculaires aux sept feuillets

Base d'une écaille

Feuillet séparé

Nervure

Attache de l'ailette à la base de l'écaille

Ailette d'aile de papillon

Rangée d'alvéoles vides

Gros plan sur une écaille

Chaque ailette de l'aile de ce papillon a sept feuillets constitués de rangées de nervures et d'alvéoles vides.

Cette structure microscopique complexe réfléchit certaines longueurs d'onde, donc certaines couleurs, tandis qu'elle en absorbe d'autres.

En 1799, William Herschel fit une série d'expériences pour étudier le lien entre la lumière et la chaleur. À l'aide d'un prisme, il formait un spectre, puis isolait chaque couleur pour la focaliser sur un thermomètre dont il enregistrait la température. Il s'aperçut que la lumière violette donnait une température plus basse que la rouge, mais que la température la plus haute était obtenue au-delà du rouge de l'extrémité du spectre, où l'on ne voyait plus de lumière : il venait de découvrir le rayonnement infrarouge, une forme d'énergie ondulatoire qui peut être sentie mais que l'œil humain ne voit pas. Herschel se dit que lumière et rayonnement infrarouge étaient deux formes d'énergie différentes. Toutefois, d'autres scientifiques, dont Thomas Young (p. 36), pensèrent qu'elles étaient similaires. Aujourd'hui, on sait que les ondes lumineuses et les ondes infrarouges font partie d'un large spectre : le « spectre électromagnétique ». L'homme voit la lumière parce que son œil contient des cellules qui sont sensibles à ces longueurs d'onde particulières. Le reste du spectre électromagnétique lui est invisible.

Chaleur et spectre

Cette expérience d'Herschel mesure l'énergie thermique de chaque couleur du spectre. La lumière est dispersée par un prisme puis projetée sur un écran où une fente en isole une couleur qui tombe sur un thermomètre. Il réalisa également des expériences pour montrer que la « lumière invisible », comme l'infrarouge, pouvait être réfractée.

William Herschel

D'origine allemande mais ayant vécu et travaillé en Angleterre, William Herschel (1738-1822) est devenu l'une des figures les plus marquantes de l'astronomie. Il a pris une place importante dans le développement des télescopes réflecteurs, taillant et polissant lui-même les miroirs. Il a découvert en 1781 la planète Uranus.

Soleil vert

Herschel étudia le lien entre la lumière et la chaleur pour résoudre un problème pratique. Désirant observer les taches solaires au télescope, il remarqua que, même à travers des filtres colorés, la lumière solaire gardait une chaleur élevée. Il pensa que s'il identifiait les couleurs les « plus chaudes », il pourrait les éliminer. Ses expériences l'amenèrent à utiliser des filtres ne laissant passer que la lumière verte.

La vision en trois couleurs

La lumière solaire étant composée de différentes lumières colorées, chaque couleur s'enchaîne avec ses voisines pour donner différentes teintes. On distingue à peu près cinq couleurs dans le spectre, mais le nombre de nuances est illimité. Comment l'œil distingue-t-il ces nuances ? Young suggéra que l'œil disposait de trois types de récepteur couleur et que la combinaison des signaux émis permettait de distinguer toutes les nuances. En effet, le fond de l'œil est tapissé de trois types de terminaison nerveuse ou cônes, chacun étant plus sensible à une bande colorée qu'aux autres. Si la lumière est bleue, un seul type de cône émet des signaux que le cerveau interprète comme du bleu. Si la lumière est un mélange de rouge, de vert et de bleu, tous les cônes émettent des signaux : on voit alors du blanc.

Courbe de réponse des cônes les plus sensibles au bleu

Courbe de réponse des cônes les plus sensibles au vert

Courbe de réponse des cônes les plus sensibles au rouge

Violet Bleu Vert Jaune Orange Rouge

Réponse des cônes à la lumière
(mesurée par l'absorption de la lumière de chacun des trois types de cône)

Thermomètre placé au-delà du spectre visible, chauffé par les ray[ons] infrarouges invisibles produisant plus de chaleur que le rouge visibl[e]

Thermomètre chauffé par l[a] lumière rouge visibl[e]

50 °C
40
30
20
10
0
10

50 °C
40
30
20
10
0
10

Spectre visible

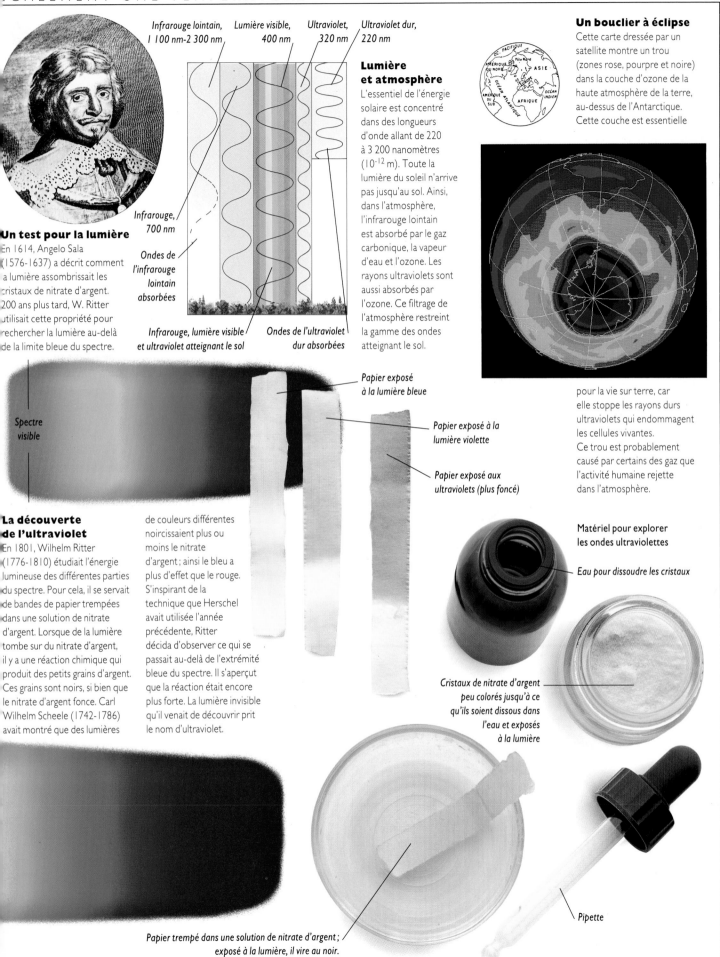

Infrarouge lointain, I 100 nm-2 300 nm

Lumière visible, 400 nm

Ultraviolet, 320 nm

Ultraviolet dur, 220 nm

Infrarouge, 700 nm

Ondes de l'infrarouge lointain absorbées

Infrarouge, lumière visible et ultraviolet atteignant le sol

Ondes de l'ultraviolet dur absorbées

Un test pour la lumière

En 1614, Angelo Sala (1576-1637) a décrit comment la lumière assombrissait les cristaux de nitrate d'argent. 200 ans plus tard, W. Ritter utilisait cette propriété pour rechercher la lumière au-delà de la limite bleue du spectre.

Lumière et atmosphère

L'essentiel de l'énergie solaire est concentré dans des longueurs d'onde allant de 220 à 3 200 nanomètres (10^{-12} m). Toute la lumière du soleil n'arrive pas jusqu'au sol. Ainsi, dans l'atmosphère, l'infrarouge lointain est absorbé par le gaz carbonique, la vapeur d'eau et l'ozone. Les rayons ultraviolets sont aussi absorbés par l'ozone. Ce filtrage de l'atmosphère restreint la gamme des ondes atteignant le sol.

Un bouclier à éclipse

Cette carte dressée par un satellite montre un trou (zones rose, pourpre et noire) dans la couche d'ozone de la haute atmosphère de la terre, au-dessus de l'Antarctique. Cette couche est essentielle pour la vie sur terre, car elle stoppe les rayons durs ultraviolets qui endommagent les cellules vivantes. Ce trou est probablement causé par certains des gaz que l'activité humaine rejette dans l'atmosphère.

Spectre visible

Papier exposé à la lumière bleue

Papier exposé à la lumière violette

Papier exposé aux ultraviolets (plus foncé)

La découverte de l'ultraviolet

En 1801, Wilhelm Ritter (1776-1810) étudiait l'énergie lumineuse des différentes parties du spectre. Pour cela, il se servait de bandes de papier trempées dans une solution de nitrate d'argent. Lorsque de la lumière tombe sur du nitrate d'argent, il y a une réaction chimique qui produit des petits grains d'argent. Ces grains sont noirs, si bien que le nitrate d'argent fonce. Carl Wilhelm Scheele (1742-1786) avait montré que des lumières de couleurs différentes noircissaient plus ou moins le nitrate d'argent ; ainsi le bleu a plus d'effet que le rouge. S'inspirant de la technique que Herschel avait utilisée l'année précédente, Ritter décida d'observer ce qui se passait au-delà de l'extrémité bleue du spectre. Il s'aperçut que la réaction était encore plus forte. La lumière invisible qu'il venait de découvrir prit le nom d'ultraviolet.

Matériel pour explorer les ondes ultraviolettes

Eau pour dissoudre les cristaux

Cristaux de nitrate d'argent peu colorés jusqu'à ce qu'ils soient dissous dans l'eau et exposés à la lumière

Pipette

Papier trempé dans une solution de nitrate d'argent ; exposé à la lumière, il vire au noir.

Après que W. Herschel eut découvert l'existence de l'infrarouge au-delà de l'extrémité rouge du spectre (p. 40-41), le Danois Hans Christian Œrsted (1777-1851) constata qu'un courant électrique déviait l'aiguille d'une boussole. La même année, le Français André-Marie Ampère (1775-1836) montrait que deux fils parcourus de courants électriques pouvaient s'attirer ou se repousser mutuellement, comme des aimants. Beaucoup d'expériences suivirent qui révélèrent que l'électricité et le magnétisme étaient liés. En 1865, l'Écossais J. C. Maxwell mit mathématiquement en évidence ce lien. Il montra qu'électricité et magnétisme sont si étroitement imbriqués qu'ils se manifestent souvent ensemble sous la forme de l'électromagnétisme. Maxwell comprit que si un courant électrique oscillait, il devait engendrer des ondes électromagnétiques qui se propageraient à grande vitesse. Ses calculs permettaient d'établir que ces radiations électromagnétiques se propageaient à la vitesse de la lumière (p. 60-61). De là, Maxwell conclut que la lumière n'était qu'une forme d'onde électromagnétique.

Ondes changeantes

Pourquoi ces choses rougeoient-elles lorsqu'elles sont très chaudes ? Parce qu'elles émettent des ondes électromagnétiques visibles, de la lumière. Même un objet très froid, comme un bloc de glace, émet des ondes, mais ces ondes sont faibles et trop longues pour que l'œil humain les perçoive. Lorsqu'un objet devient chaud, ses atomes émettent des ondes plus énergétiques et dont la longueur est de plus en plus courte. S'il est assez chaud, il brillera. Ceci parce que les ondes émises sont suffisamment courtes pour que l'œil les voie.

Les atomes plus froids émettent de l'infrarouge invisible.

Les atomes chauffés émettent de la lumière rouge.

Devenir visible

Une barre d'acier n'émet pas de lumière visible. Au jour, on la voit parce qu'elle reflète la lumière qui tombe sur elle. Dans le noir, elle est invisible. Mais si la barre est chauffée, elle produit sa propre lumière visible. Cette barre émet de la lumière dont la longueur d'onde est d'environ 700 nanomètres, juste à l'extrémité rouge du spectre visible.

Télévision

Le son et l'image de la télévision sont transportés par des ondes radio dont la longueur est inférieure à un mètre. Les fréquences de ces ondes sont modulées pour transformer leur transport en signal.

Le spectre des longueurs d'onde

Le rayonnement électromagnétique compose un spectre d'ondes de différentes longueurs. La lumière rouge, par exemple, a une longueur d'onde d'environ 650 nanomètres. Le nanomètre est un millionième de millionième de mètre. On peut dire aussi que le rouge a une fréquence de 450. 10^{24} cycles, c'est-à-dire qu'une onde de lumière rouge oscille 450. 10^{24} fois par seconde. La radio utilise des longueurs d'onde beaucoup plus grandes, jusqu'à par exemple 2 000 mètres (soit 3. 10^{12} fois plus longues que les ondes de lumière rouge).

James Clerk Maxwell s'est également intéressé à la mécanique et à l'astronomie, et il réalisa, en 1861, la première photo en couleurs.

James Clerk Maxwell

Mathématicien extrêmement doué, J. C. Maxwell (1831-1879) a fait des découvertes importantes dans plusieurs domaines de la physique. Parmi ses premiers travaux, la théorie cinétique des gaz relie la température d'un gaz aux mouvements de ses atomes ou de ses molécules. On lui doit aussi les équations mathématiques qui décrivent les liens entre l'électricité et le magnétisme.

Ondes de la télévision, longueur type : 0, 5 m

Ondes de la radio, longueur type : 100 m

Ondes des radars, longueur type : 0, 01 m

Ondes radio

Les longueurs d'onde radio s'étendent d'un millimètre à plusieurs kilomètres. Les radars, les fours à micro-ondes, la télévision et la radio utilisent ces ondes. Les étoiles et les galaxies émettent des ondes radio détectables grâce aux radiotélescopes. Ceux-ci, installés au Nouveau-Mexique, détectent ensemble les émissions d'objets très lointains.

Radar

Un radar émet des ondes radio très courtes et détecte les échos produits par les objets sur leur trajet. Il est utilisé dans la navigation aérienne ou maritime.

Les atomes encore moins chauds n'émettent pas de lumière visible.

Les atomes moins chauds émettent de la lumière rouge.

Les atomes les plus chauds émettent de la lumière orange.

La partie la moins chaude de la barre n'émet pas de lumière visible.

Les atomes les plus chauds émettent de la lumière blanche

Les atomes les plus chauds émettent de la lumière jaune.

2 Chaleur orange

La barre est maintenant encore plus chaude et elle émet plus de lumière à des longueurs d'onde plus courtes – environ 630 nanomètres – qui donnent à la barre cette couleur orangée. En s'éloignant de l'extrémité, la couleur change parce que la température décroît.

3 Chaleur jaune

La barre est maintenant très chaude. La principale couleur émise est le jaune d'une longueur d'onde d'environ 580 nanomètres, bien que les autres couleurs soient présentes. La partie la plus chaude émet toujours du rouge et de l'orange, mais ces couleurs sont masquées par l'intense lumière jaune.

4 Chaleur blanche

La barre est devenue si chaude qu'elle émet toutes les couleurs du spectre visible et qu'elle devient blanche (p. 30).

Rayons X

Ces rayons transportent plus d'énergie que les ondes visibles. Ils pénètrent dans les parties molles de notre corps, mais pas à l'intérieur des os. Les rayons X détectés par les films photographiques sont utilisés pour obtenir des images de choses « invisibles », comme par exemple un os fracturé (à droite).

Rayons cosmiques

Le rayonnement doté de la plus haute énergie est le rayonnement cosmique, constitué de particules de noyaux atomiques, d'électrons et de rayons gamma. Les rayons cosmiques bombardent notre atmosphère depuis les régions lointaines de l'espace.

Micro-ondes

Du rayonnement micro-ondes de faible niveau traverse l'espace. On pense qu'il provient du Big Bang, au début de l'Univers. Dans un four à micro-ondes, les ondes modifient rapidement les alignements de molécules de vapeur d'eau, ce qui chauffe les aliments.

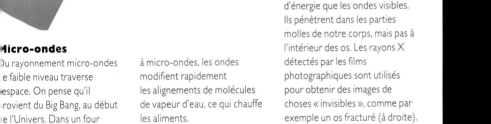

Ondes des fours à micro-ondes, longueur : 0, 1 à 0, 001 m

Lumière visible, longueur d'onde moyenne : 0, 000 000 5 m

Rayons X, longueur d'onde moyenne : 0, 000 000 000 01 m

Rayons cosmiques, longueur d'onde moyenne : 0, 000 000 000 000 01 m

Infrarouge, longueur d'onde moyenne : 0, 000 05 m

Ultraviolet, longueur d'onde moyenne : 0, 000 000 1 m

Rayons gamma, longueur d'onde moyenne : 0, 000 000 000 000 1 m

Rayons infrarouges

Sur cette vue d'une éruption volcanique prise depuis un satellite, le rayonnement infrarouge invisible a été restitué en rouge par ordinateur.

Le rayonnement infrarouge est produit par les objets chauds.

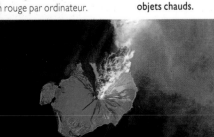

Rayons ultraviolets

Les ondes ultraviolettes ont des longueurs inférieures à 50 nanomètres. Elles sont produites par des objets très chauds, comme le soleil et les autres étoiles. Les ondes ultraviolettes sont plus énergétiques que les ondes visibles, c'est pourquoi elles pénètrent et brûlent la peau. Certaines crèmes font écran aux ultraviolets et protègent la peau de leurs effets néfastes.

Rayons gamma

Ces rayons, produits par certains noyaux atomiques, ont des longueurs d'onde très courtes. Ils transportent une grande quantité d'énergie et peuvent pénétrer métaux et ciment. Ils détruisent les cellules vivantes, en particulier lors de l'explosion d'une bombe atomique.

En 1802, William Hyde Wollaston découvre que le spectre de la lumière solaire n'est pas une bande continue de lumière : il présente des centaines de bandes étroites et obscures. L'Allemand Joseph von Fraunhofer en identifia plus de 500. À la fin des années 1850, un autre Allemand, Gustav Kirchoff, découvre que tous les atomes peuvent émettre ou absorber certaines longueurs d'onde spécifiques et que les bandes sombres du spectre solaire sont dues à l'absorption. La découverte était importante : elle mettait en évidence le lien étroit entre atomes et lumière. Dès le début du XXᵉ siècle, naissait une autre théorie qui rendait compte de l'interaction entre atomes et lumière.

La preuve par les électrons

On savait au XIXᵉ siècle que la lumière agissait sur certains métaux, qu'elle pouvait déloger des électrons de leurs atomes (les électrons sont des petites particules atomiques qui constituent le courant électrique). Ce phénomène, ou effet photo-électrique, sera étudié en 1902 par l'Allemand Philipp Lenard. En utilisant un prisme disposé comme sur la figure à droite, lui et d'autres physiciens ont montré les liens entre la longueur d'onde d'une lumière, la libération des électrons et l'énergie mise en œuvre. Les résultats furent surprenants. Pour une longueur d'onde donnée, les électrons ont une quantité d'énergie donnée. Une lumière faible produit peu d'électrons, mais chaque électron a autant d'énergie que si la lumière était forte. Cependant, il y a un lien entre longueur et énergie : plus la longueur d'onde est courte, plus les électrons ont d'énergie. Ces résultats restèrent incompris jusqu'à ce qu'Einstein (p. 63) les explique, en 1905, par la théorie des quanta.

Max Planck
(1858-1947)

La théorie des quanta

À la fin du XIXᵉ siècle, on pensait que les radiations électromagnétiques étaient des flux continus d'énergie. Toutefois, vers 1900, cette idée a commencé à soulever des problèmes théoriques. L'Allemand Max Planck les aborda en suggérant que l'énergie d'un rayonnement n'était pas continue, mais qu'elle était divisée en petits paquets, ou quanta.

Les atomes et la lumière

C'est à cause de la structure des atomes que l'énergie lumineuse est produite par petits paquets. Un atome est formé d'un noyau petit et dense, et d'électrons qui l'entourent à différentes distances ; plus ils sont loin, plus ils ont d'énergie. Si un électron passe d'une orbite à une autre plus proche du noyau, il libère de l'énergie sous la forme d'un photon. Dans la plupart des atomes, il y a beaucoup d'électrons et beaucoup de niveaux différents d'énergie. La longueur d'onde que chaque électron peut produire dépend de l'énergie qu'il libère en tombant d'une orbite sur une autre : ces différentes longueurs d'onde donnent son spectre d'émission. En observant un spectre, on peut donc identifier le type d'atome qui l'a produit.

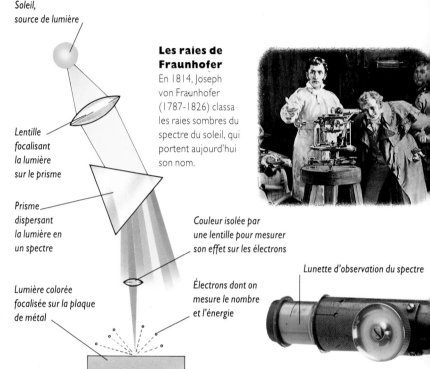

Soleil, source de lumière

Lentille focalisant la lumière sur le prisme

Prisme dispersant la lumière en un spectre

Lumière colorée focalisée sur la plaque de métal

Les raies de Fraunhofer

En 1814, Joseph von Fraunhofer (1787-1826) classa les raies sombres du spectre du soleil, qui portent aujourd'hui son nom.

Couleur isolée par une lentille pour mesurer son effet sur les électrons

Électrons dont on mesure le nombre et l'énergie

Lunette d'observation du spectre

Les photons présentent donc une double nature, corpusculaire et ondulatoire. Puis Louis de Broglie (1892-1987) postula que les électrons présentent aussi cette particularité, créant ainsi la mécanique ondulatoire.

Examiner un spectre

Un spectromètre est un appareil qui sert à étudier les spectres lumineux. Celui-ci a été construit vers 1905. La substance à examiner est placée dans un tube et la lumière blanche la traversant est dispersée par un réseau de diffraction (p. 36) sur le plateau central. L'expérimentateur observe le spectre à travers le système optique de l'autre tube.

Orbite électronique

Transfert d'un électron

Quantum de grande longueur d'onde (faible énergie) produit par la chute d'un électron un niveau plus bas

Noyau

Quantum de lumière de petite longueur d'onde (haute énergie) produit par la chute d'un électron deux niveaux plus bas

Raies spectrales

Ci-dessus, un spectre détaillé du soleil. Des centaines de fines raies de Fraunhofer, sombres, apparaissent. La lumière du soleil provient des atomes chauds de sa surface. Lorsque la lumière traverse les atomes plus froids de l'atmosphère extérieure du soleil, certaines longueurs d'onde sont absorbées. Chaque sorte d'atomes absorbe une longueur d'onde donnée et produit une raie spécifique. L'ensemble constitue un spectre d'absorption qui permet d'identifier les atomes présents.

LUORESCENCE

arfois les atomes absorbent de la lumière à une certaine longueur d'onde, nais presque aussitôt la restituent à une autre longueur d'onde. C'est a fluorescence. Ce phénomène se produit lorsqu'un électron prend e l'énergie et se meut sur une orbite plus haute, pour retomber ensuite ur une autre, plus basse. Beaucoup e substances deviennent uorescentes lorsqu'elles sont appées par de l'ultraviolet.

Poudre à laver

À la lumière du jour, cette poudre est brillante et blanche, en partie grâce à la fluorescence.

Willémite à la lumière du jour

Ce minéral (ci-contre à gauche) contient du zinc et du manganèse. À la lumière du jour, il apparaît brunâtre (le blanc est du quartz).

À la lumière ultraviolette, la poudre devient excessivement blanche. La fluorescence contribue à ce que le linge paraisse propre.

Sodalite à la lumière du jour

Ce minéral grisâtre est un composé de sodium, d'aluminium, de silicium, d'oxygène et de chlore.

Willémite à la lumière ultraviolette

Lorsqu'elle devient fluorescente, elle émet une lumière verte (le rose est dû à la fluorescence du quartz).

Lumière vivante

Ces points brillants à la surface de la mer sont dus à la luminescence de plantes et d'animaux minuscules.

Réseau de dispersion de la lumière ayant traversé l'échantillon

Sodalite à la lumière ultraviolette

La sodalite absorbe les ultraviolets et émet du jaune et de l'orange.

La substance à examiner est placée dans ce tube fortement éclairé à la lumière blanche.

Échantillons spectraux

La spectroscopie – l'étude des spectres – a commencé vers 1860. Ces tubes de verre datent de 1871 et contiennent différentes substances en solution. Elles étaient utilisées comme étalons lors des examens spectraux. Chacune de ces substances absorbe des longueurs d'onde caractéristiques.

pectromètre de 1905

Spectre ultraviolet

Cette plaque photographique montre les raies de Fraunhofer d'une partie du spectre d'absorption des atomes d'aluminium et d'hydrogène. Les atomes étaient éclairés à la lumière ultraviolette qui était ensuite dispersée pour montrer les longueurs d'onde absorbées.

Peigne
translucide

Il y a environ 5 000 ans, les Égyptiens fabriquaient déjà des perles de verre. Avec les Romains apparut le verre soufflé qui permit de fabriquer plats et coupes. Aujourd'hui, le verre et le plastique sont très transparents et laissent passer la lumière sans la diffuser, permettant de voir très distinctement au travers. Les corps translucides laissent aussi passer la lumière, mais en la diffusant, et les objets vus à travers eux ne sont pas nets. Quant aux corps opaques, ils arrêtent les rayons lumineux, mais peuvent laisser passer d'autres rayons – les rayons X, par exemple.

Devenir translucide
Si quelques gouttes d'huile sont déposées sur une feuille de papier (ci-dessus), la lumière la traversera plus facilement.

Lunettes

Lentille transparente

Monture translucide

TRANSPARENCE

Les corps transparents laissent passer la lumière sans la diffuser notablement. On peut donc voir très nettement à travers eux. Les matériaux transparents sont chose courante dans la nature : l'eau pure, certaines huiles et les cristaux de nombreux minéraux. Mais à part le vide, rien n'est jamais totalement transparent. Un peu d'énergie lumineuse est toujours absorbée par les corps que la lumière traverse et plus le corps sera épais, plus il y aura d'énergie absorbée. C'est pourquoi les choses vues nettement à travers une mince couche de verre deviennent floues à travers un bloc épais.

Pétales
translucides

Feuille
translucide

À travers un poisson
Ce poisson contient des huiles transparentes qui le rendent difficile à voir. Nombre de petits animaux marins se cachent ainsi de leurs ennemis.

Cire fondue transparente

Des oxydes métalliques dans le verre soustraient des couleurs à la lumière blanche.

Cristal de quartz
transparent

Verre
transparent

Bouteille
translucide bleue

Bouteille
translucide ambre

Bouteille
translucide verte

TRANSLUCIDITÉ

Les corps translucides laissent passer la lumière mais diffusent ses rayons, si bien qu'on ne voit pas nettement à travers eux. Beaucoup de plastiques, d'huiles, de graisses et de cires sont translucides. Comme la transparence, la translucidité dépend de l'épaisseur. Une feuille de papier mise devant une lampe laisse passer un peu de lumière diffuse. Si d'autres feuilles sont interposées, la lumière finira par être arrêtée. Pour certaines substances, la translucidité dépend de la température : graisses et cires diffusent moins la lumière quand elles sont liquides que lorsqu'elles sont solides.

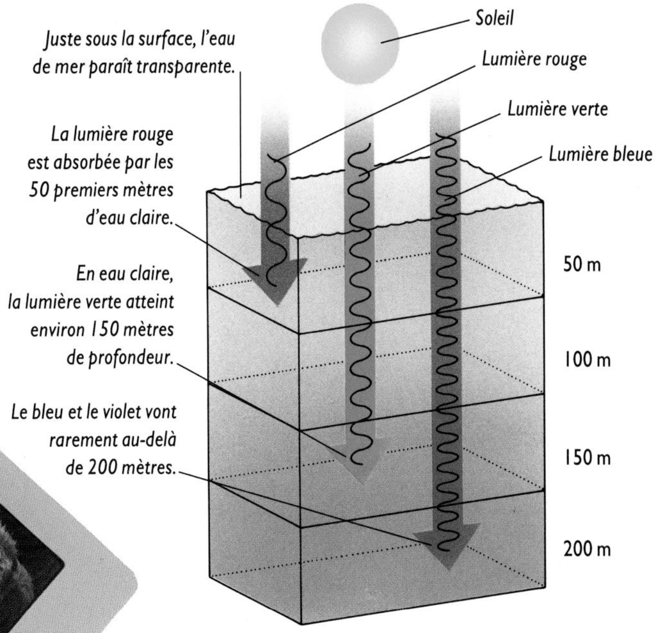

Juste sous la surface, l'eau de mer paraît transparente.

Soleil

Lumière rouge

Lumière verte

Lumière bleue

La lumière rouge est absorbée par les 50 premiers mètres d'eau claire.

En eau claire, la lumière verte atteint environ 150 mètres de profondeur.

Le bleu et le violet vont rarement au-delà de 200 mètres.

50 m

100 m

150 m

200 m

Savon et cire d'abeille laissant passer la lumière en la diffusant.

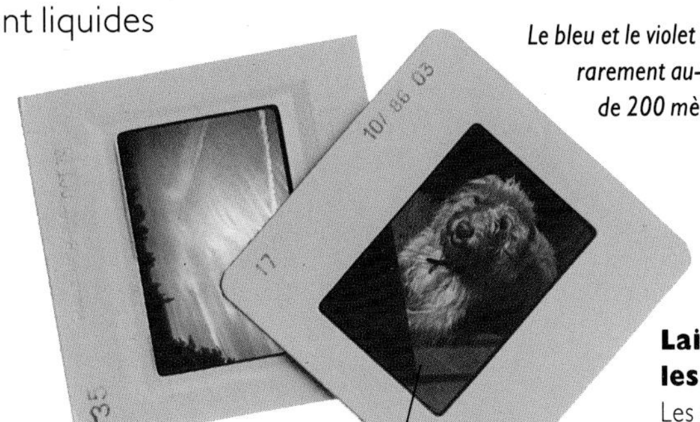

Différentes parties de la diapositive laissent passer différentes longueurs d'onde.

Diapositives

Laisser passer les couleurs

Les objets limpides et colorés, comme le verre teinté et les diapositives, tiennent leurs couleurs de la soustraction de certaines longueurs d'onde à la lumière blanche. Si l'eau de mer, à faible profondeur, est transparente, elle absorbe la lumière. Le rouge est absorbé par les couches supérieures, tandis que le bleu et le violet pénètrent plus profondément.

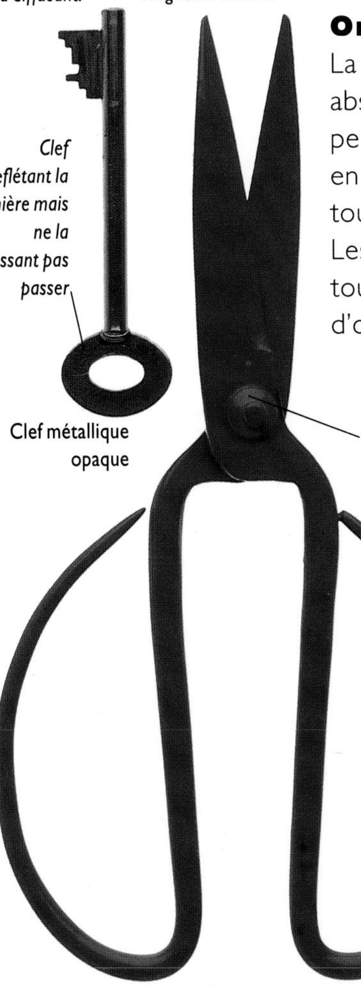

Clef reflétant la lumière mais ne la laissant pas passer.

Clef métallique opaque

OPACITÉ

La plupart des métaux sont opaques et ne laissent absolument pas passer la lumière. Mais certains d'entre eux peuvent la laisser passer lorsque leurs atomes sont organisés en couches très minces. Quand on regarde un corps opaque, toute la lumière que l'on voit est reflétée par sa surface. Les métaux brillants reflètent pratiquement toute la lumière qu'ils reçoivent, d'où leur brillance.

Bouteille d'encre de Chine

Ciseaux peints ne laissant pas passer la lumière mais reflétant le rouge.

L'encre absorbe la plupart de la lumière incidente.

Savon translucide

Cire d'abeille translucide

Ciseaux opaques

Écorce de bois opaque

Pyrites opaques

Un phénomène énigmatique

Dans son livre sur le spath d'Islande, E. Bartholin (1625-1698) explique comment

ERASMI BARTHOLINI
EXPERIMENTA
CRYSTALLI ISLANDICI
DISDIACLASTICI
Quibus mira & insolita
REFRACTIO
detegitur.

ANNO 1669.

HAFNIÆ,
Sumptibus DANIELIS PAULLI Reg. Bibl.

D'un objet regardé à travers un corps transparent, on ne voit généralement qu'une seule image. Pourtant, en 1669, le Danois Erasmus Bartholin décrivit comment les cristaux du spath d'Islande donnaient une double image. En tournant le cristal, il découvrit qu'une image se déplaçait tandis que l'autre restait fixe. En 1808, le Français Étienne Malus, en observant un objet à travers du spath d'Islande sous lumière réfléchie, constata qu'une des deux images avait disparu. Il en conclut que la lumière du jour devait être constituée de deux sortes de lumière que le cristal déviait de façon différente. Ce qui différencie ces deux sortes de lumière est leur polarisation. La lumière du jour est normalement non polarisée, ses ondes vibrent dans tous les plans perpendiculaires à la direction de son mouvement. La lumière réfléchie est partiellement polarisée, ses ondes vibrent dans un seul plan.

les cristaux du cristal dévient la lumière dans deux directions différentes. Ce phénomène constitue la double réfraction, ou biréfringence.

Chaîne d'or

Cristal de spath d'Islande

Ondes vibrant dans un seul plan

Filtre polarisant

Lumière arrêtée par le filtre polarisant croisé

Ondes vibrant dans tous les plans

Double image d'une chaîne obtenue par biréfringence

Biréfringence

Ce cristal de spath d'Islande placé sur une seule chaîne d'or donne deux images. Quand la lumière de la chaîne pénètre dans le cristal, elle est réfractée (p. 14) parce qu'elle passe d'un milieu à un autre. Mais la déviation se fait d'une façon inhabituelle. Les ondes

qui se meuvent dans un plan particulier sont déviées d'une quantité différente de celles qui se meuvent dans le plan perpendiculaire à ce premier plan, d'où la production de deux faisceaux de rayons différents. Il y a double réfraction et émergence de lumière polarisée.

Tamiser la lumière

Un filtre polarisant laisse passer seulement les ondes lumineuses qui vibrent dans un certain plan. Si deux filtres polarisants sont « croisés », aucune lumière ne passe à travers eux. Vous pouvez

le constater avec certaines lunettes de soleil. Mettez en face l'un de l'autre deux verres de ces lunettes et tournez-en un, vous verrez le verre devenir totalement noir.

Polariscope à main

Certaines substances normalement incolores se colorent en lumière polarisée. Ce polariscope permet de voir des minéraux transparents sous lumière polarisée. Les échantillons sont montés sur une roue, de telle sorte que chacun puisse être amené sous un oculaire en spath d'Islande, entre deux filtres polarisants. Le filtre supérieur – l'analyseur – peut être tourné pour changer l'intensité de la lumière émergente.

Oculaire avec filtre polarisant

François Arago

Dans la lignée de Malus

Au début du XIXᵉ siècle, le Français François Arago (1786-1853) poursuivit les travaux de Malus sur la lumière polarisée. Il étudia la polarisation de la lumière de différentes

Polariscope à main du XIXᵉ siècle

Étiquette indicatrice

Échantillon minéral monté sur la roue

parties du ciel et construisit en 1812 un des premiers filtres polarisants à partir d'une pile de plaques de verre.

Voir les contraintes

Ce crochet de plastique devient biréfringent s'il est tendu. Sous lumière normale, la biréfringence est à peine perceptible. Sous lumière polarisée, les motifs dus aux contraintes deviennent visibles. Ces motifs sont courants dans les objets de plastique ou de verre moulé. Ils mettent ici en évidence les zones soumises à de fortes contraintes.

Lignes serrées indiquant les zones de fortes contraintes

Lignes espacées indiquant les zones de moindres contraintes

Images polarisées

On peut réaliser des images aux couleurs brillantes à l'aide d'un ruban adhésif transparent et de deux filtres polarisants. Les images sont formées à partir de dix épaisseurs de ruban. Elles sont ensuite placées entre les filtres et les couleurs apparaissent.

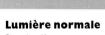

Lumière normale

Sous lumière non polarisée, l'image est transparente.

2 Lumière polarisée
Avec des filtres devant et derrière, l'image se colore. Les différentes épaisseurs d'adhésif tordent les ondes polarisées selon leur couleur.

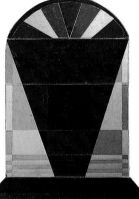

3 Filtre tournant
Si l'on tourne le filtre avant (ci-dessus), les couleurs changent parce que le filtre élimine maintenant différentes couleurs.

4 Lumières éliminées
Les zones noires de l'image montrent les endroits où le filtre avant a éliminé toute la lumière.

Cristaux liquides

Un affichage à cristaux liquides est fait de deux filtres polarisants croisés et d'un miroir. Les filtres croisés arrêtent la lumière, mais entre les deux filtres il y a une couche de cristaux liquides qui, tant que le courant est coupé, tordent les rayons lumineux à 90° : l'affichage est donc blanc. L'affichage d'inscriptions s'obtient par la mise sous tension des cristaux liquides, qui tordent alors la lumière.

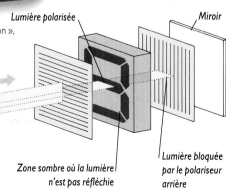

Cristaux « off »

Quand un affichage à cristal liquide est « off », les cristaux liquides tordent la lumière polarisée, lui permettant de passer à travers le polariseur arrière. Un miroir reflète la lumière qui est tordue une seconde fois en retraversant le cristal. Cette lumière peut alors passer à travers le polariseur avant : l'affichage semble blanc.

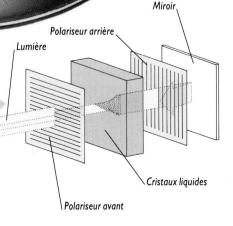

Miroir

Polariseur arrière

Lumière

Cristaux liquides

Polariseur avant

Cristaux « on »

En appuyant sur la touche « on », on envoie du courant dans certaines zones des cristaux. Les cristaux de ces zones tordent alors moins la lumière qui est arrêtée par le filtre arrière. Le miroir n'a plus de lumière à refléter et les zones concernées de l'affichage apparaissent noires.

Lumière polarisée

Miroir

Zone sombre où la lumière n'est pas réfléchie

Lumière bloquée par le polariseur arrière

Chaque jour, la terre reçoit une énorme quantité d'énergie solaire. En une seule année, un mètre carré de sol d'une région ensoleillée en reçoit 2 000 kilowatts. Toute cette énergie collectée et convertie en électricité serait suffisante pour maintenir une bouilloire en activité pendant près de six semaines. Dans la nature, une petite partie de l'énergie solaire est absorbée par les feuilles des plantes pour assurer leur croissance. Les hommes commencent à étudier de quelle façon ils pourraient utiliser cette énergie inépuisable et non polluante. Mais collecter la lumière et la convertir n'est pas facile : une grande quantité se perd à chaque étape. Les miroirs des centrales solaires en gaspillent et les cellules solaires n'utilisent que certaines longueurs d'onde.

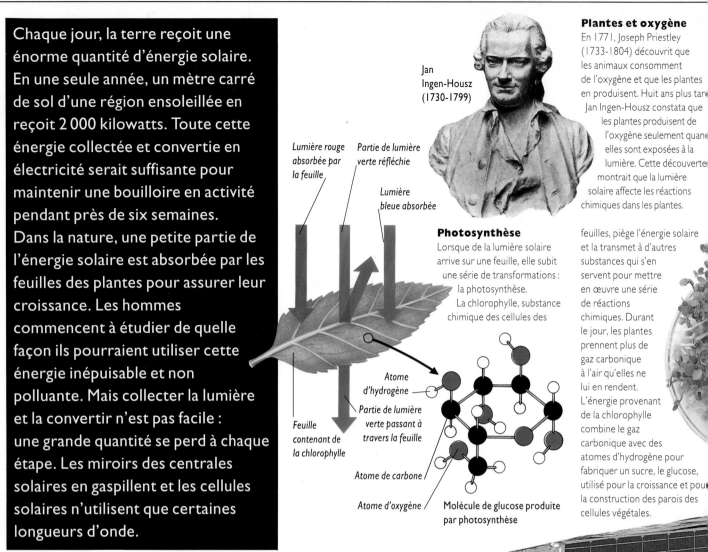

Jan Ingen-Housz (1730-1799)

Lumière rouge absorbée par la feuille

Partie de lumière verte réfléchie

Lumière bleue absorbée

Feuille contenant de la chlorophylle

Partie de lumière verte passant à travers la feuille

Atome d'hydrogène

Atome de carbone

Atome d'oxygène

Molécule de glucose produite par photosynthèse

Plantes et oxygène

En 1771, Joseph Priestley (1733-1804) découvrit que les animaux consomment de l'oxygène et que les plantes en produisent. Huit ans tard Jan Ingen-Housz constata que les plantes produisent de l'oxygène seulement quand elles sont exposées à la lumière. Cette découverte montrait que la lumière solaire affecte les réactions chimiques dans les plantes.

Photosynthèse

Lorsque de la lumière solaire arrive sur une feuille, elle subit une série de transformations : la photosynthèse. La chlorophylle, substance chimique des cellules des feuilles, piège l'énergie solaire et la transmet à d'autres substances qui s'en servent pour mettre en œuvre une série de réactions chimiques. Durant le jour, les plantes prennent plus de gaz carbonique à l'air qu'elles ne lui en rendent. L'énergie provenant de la chlorophylle combine le gaz carbonique avec des atomes d'hydrogène pour fabriquer un sucre, le glucose, utilisé pour la croissance et pou la construction des parois des cellules végétales.

Panneau de cellules solaires

Voiture solaire

La Solar Flair est une voiture solaire expérimentale qui roule à 65 km/h. Son fuselage aérodynamique est constitué d'une superposition très légère d'alvéoles d'aluminium et de fibres de carbone. Elle dispose de près de 900 cellules solaires qui, disposées en panneaux à l'avant et à l'arrière, collectent l'énergie solaire et la transforment en électricité qui entraîne le moteur. Par un jour ensoleillé, les cellules délivrent une puissance de un kilowatt, ce qui correspond à 1, 3 cheval-vapeur (alors que les voitures à essence produisent une centaine de chevaux-vapeur). Les voitures solaires n'en sont qu'à leur début et peuvent très bien ne déboucher sur aucune utilisation pratique. Cependant, beaucoup d'appareils à faible puissance, comme le téléphone et les calculatrices, fonctionnent déjà à l'énergie solaire.

Cellules solaires

Les cellules qui alimentent la voiture solaire Solar Flair n'ont pas de parties mobiles, aussi nécessitent-elles très peu d'entretien. Chacune produit le même voltage qu'une pile de lampe torche. Les cellules sont associées en série de façon à ce que leurs faibles voltages s'additionnent pour aboutir à un plus gros voltage.

Quand la source de lumière est au-dessus, la plante pousse verticalement.

esson

Quand la source de lumière est sur le côté, la plante s'étire vers cette source.

Attirée par la lumière

Une plante ne voit pas le soleil, mais elle pousse en se tournant vers lui. Lorsque la lumière arrive d'un certain côté, ce côté de la tige pousse lentement, tandis que le côté opposé croît plus vite. Il en résulte une déviation de la tige. Seules les plantes et certaines bactéries utilisent directement l'énergie du soleil. Les animaux tirent la leur en se nourrissant de plantes ou d'animaux ayant mangé des plantes.

Moteur

Moteur solaire

Ce moteur est mû par l'énergie lumineuse qui tombe sur une cellule solaire en silicium. Les photons délogent les électrons du silicium, créant un courant. Le voltage produit dépend de la longueur d'onde de la lumière incidente. La lumière verte donne aux électrons la même énergie qu'une batterie de 2 volts.

Cellule solaire

Centrale solaire

La lumière du soleil peut être utilisée soit en collectant son énergie thermique, soit en la transformant directement en électricité. La chaleur du soleil peut être collectée par des miroirs qui la focalisent sur une chaudière. Cette centrale solaire expérimentale, installée en

Sicile, produit de l'électricité à l'aide de cellules solaires. Les panneaux tournent de façon à être toujours dirigés vers le soleil. Une centrale solaire produit peu d'énergie mais elle ne pollue pas.

es cellules solaires contiennent eux couches de silicium. ertains atomes de la couche upérieure possèdent un électron upplémentaire, tandis que ertains atomes de la couche nférieure en ont un de moins. e qui oblige les électrons à se nouvoir du niveau supérieur vers niveau inférieur, créant une harge électrique dans les tomes. Lorsque la lumière frappe cellule, les électrons de la ouche inférieure sont propulsés ers la couche supérieure en roduisant un courant.

1 La lumière chasse les électrons de la couche inférieure vers la couche supérieure.

2 Les électrons de la couche inférieure remplissent les trous laissés par d'autres électrons.

3 Le mouvement continuel des électrons produit un courant électrique.

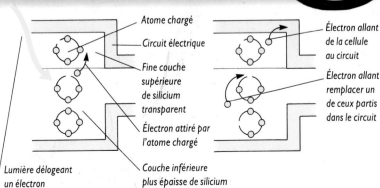

Atome chargé

Circuit électrique

Fine couche supérieure de silicium transparent

Électron attiré par l'atome chargé

Lumière délogeant un électron

Couche inférieure plus épaisse de silicium

Électron allant de la cellule au circuit

Électron allant remplacer un de ceux partis dans le circuit

Courant électrique produit par le mouvement des électrons dans le circuit

Le cycle recommence lorsqu'un électron va du circuit jusqu'au silicium.

L'éclairage électrique naquit à la fin du XIXe siècle avec la lampe à arc. Dans ce procédé, un courant électrique franchit un petit vide entre deux électrodes de charbon. La lumière des lampes à arc était beaucoup plus brillante que celle des bougies ou des lampes à gaz, mais ces lampes étaient d'une utilisation délicate et dangereuse. Les recherches pour obtenir une lumière électrique à la fois sûre et efficace commencèrent vers 1875. Presque en même temps, Thomas Edison et Joseph Swan s'y distinguèrent en réalisant un nouveau type de lampe : l'ampoule électrique.

LUMIÈRE POUR TOUS LES USAGES

Les lampes électriques modernes produisent de la lumière de trois façons différentes. Une ampoule ordinaire fonctionne par incandescence – elle brille parce qu'un courant électrique chauffe son filament. Dans un tube, il n'y a pas de filament, le courant électrique circule à travers un gaz sous basse pression. Ce gaz produit de la lumière ultraviolette qui frappe une couche de phosphore, lequel devient lumineux par fluorescence (p. 45). De même, les lampes à décharge n'ont pas de filament. Elles contiennent aussi un gaz sous basse pression, mais ce gaz s'illumine lorsqu'il est traversé par un courant électrique. La couleur de la lumière dépend du gaz.

Anniversaire électrique

Cette illustration publicitaire (ci-dessus) du début du XXe siècle montre un usage inhabituel de l'électricité !

La lampe de Swan

J. Swan présenta sa lampe en Angleterre en février 1879. Elle avait un filament de carbone qui brillait lorsqu'un courant le traversait. L'ampoule de verre contenait un vide partiel : il restait si peu d'oxygène que le filament pouvait devenir très chaud sans se consumer.

Joseph Wilson Swan (1828-1914)

Le tube de Geissler

Vers 1855, Johann Heinrich Wilhelm Geissler a fabriqué des tubes contenant des gaz sous basse pression. Il s'aperçut qu'ils devenaient lumineux et colorés lorsqu'ils étaient traversés par de l'électricité. C'étaient les ancêtres de nos enseignes au néon.

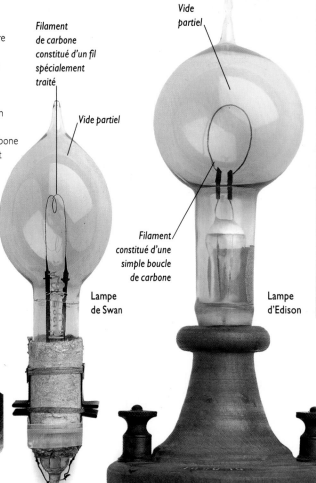

Filament de carbone constitué d'un fil spécialement traité

Vide partiel

Vide partiel

Filament constitué d'une simple boucle de carbone

Lampe de Swan

Lampe d'Edison

Arrivée de l'électricité

Vide partiel

La lumière est produite entre les électrodes quand le courant électrique passe.

Électrode

Électrode

Lumière du jour

Cette ampoule restitue une lumière qui est un mélange de couleurs identique à celui du soleil. Les murs colorés autour de l'ampoule apparaissent comme s'ils étaient éclairés par la lumière du jour.

La lampe d'Edison

Cette lampe de Thomas Edison (1847-1931) a été présentée aux États-Unis en octobre 1879 et fut commercialisée dès novembre 1880. Elle était sous basse pression pour éviter que le filament ne brûle. Elle devint rapidement populaire. Certains hôtels devaient rappeler aux clients qu'ils n'avaient pas besoin d'allumettes pour allumer ces nouvelles lampes.

Musée illuminé par des ampoules d'Edison

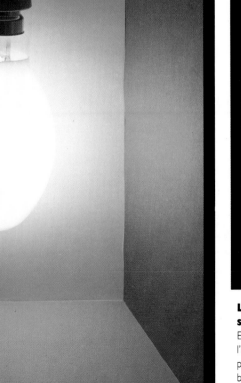

Lampe au mercure

À la lumière de cette lampe (à gauche) la paroi de gauche est bleue. Parce que la lumière ne contient pas de rouge, le mur de droite ne peut réfléchir cette couleur, il apparaît donc gris-bleu. Le sol est verdâtre parce que la lumière contient du jaune.

Lampe ordinaire

Une ampoule ordinaire (ci-dessous) contient environ 50 centimètres de filament de tungstène enroulé ; elle est soit sous faible pression, soit emplie d'un gaz comme l'argon. Le filament donne une lumière blanc jaunâtre.

Lampe au sodium sous forte pression

Elle contient du sodium et de l'aluminium qui se combinent pour donner une lumière bleu-rose (à gauche). Ce qui donne aux objets à peu près la couleur qu'ils auraient à la lumière du jour.

Lampe au sodium sous faible pression

Ce type de lampe (ci-dessus) est souvent utilisé pour l'éclairage des rues. L'ampoule contient un peu de sodium qui met quelques minutes pour se vaporiser lorsqu'on l'allume.

Dans un miroir, on voit toujours une réflexion, parce qu'il reflète les rayons quel que soit l'angle d'incidence. La lumière peut aussi être réfléchie d'une autre façon. Imaginez un scaphandrier travaillant de nuit avec une torche puissante. S'il pointe sa torche droit vers le haut, le faisceau sortira de l'eau et montera verticalement dans l'air. Si la torche est légèrement inclinée, elle illuminera encore l'air, mais cette fois la réfraction déviera le faisceau de telle sorte qu'il formera un angle plus petit à la surface. S'il continue de tourner le faisceau vers le bas, celui-ci rencontrera la surface selon un angle de plus en plus petit et la réfraction le déviera de plus en plus. Il arrivera un moment où la déviation sera telle que le faisceau émergent deviendra parallèle à la surface de l'eau, un angle limite sera atteint, et si la torche est tournée un peu plus, le faisceau ne sortira plus de l'eau qui se comportera comme un miroir. La lumière sera réfléchie à l'intérieur de l'eau. C'est sur ce principe que fonctionnent les fibres optiques.

La réflexion interne se produit même dans les parties recourbées.

Rayon lumineux

Prisme focalisant la lumière

Les rayons lumineux sont réfléchis à l'intérieur s'ils frappent les bords selon un angle faible.

Graduation indiquant à quelle profondeur l'endoscope a pénétré dans le corps

Piège à lumière

Ici, un faisceau de lumière est réfléchi par un cylindre de plastique transparent. La réflexion est « totale » parce que, à chaque réflexion, peu ou pas de lumière s'échappe du cylindre. Elle est « interne » parce que toutes les réflexions se font à l'intérieur du cylindre. Cette sorte de réflexion ne se produit que sous certaines conditions. La lumière doit se propager dans un milieu à fort indice de réfraction (p. 14), comme l'eau, le verre, le plastique. Ce milieu doit être entouré d'un autre milieu à faible indice de réfraction, comme l'air. La lumière doit frapper la surface de séparation des deux milieux selon un angle faible.

Aucune lumière ne s'échappe lors des réflexions.

Les rayons lumineux sortent à l'autre extrémité parce qu'ils la frappent selon un angle assez raide.

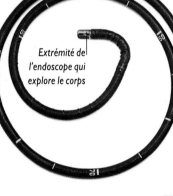

Extrémité de l'endoscope qui explore le corps

Voir à l'intérieur

Un endoscope est un appareil utilisé par les médecins pour examiner l'intérieur du corps. Il est constitué d'un faisceau de fibres optiques et de fils de commande. Une série de fibres conduit la lumière de la source jusqu'à l'extrémité de l'endoscope qui éclaire les organes alentour. Un autre jeu de fibres conduit la lumière au retour à l'oculaire, de telle sorte que l'opérateur puisse voir une image. Les fils de commande permettent de tourner et de tordre l'extrémité de l'endoscope pour qu'il soit dirigé vers différents endroits du corps.

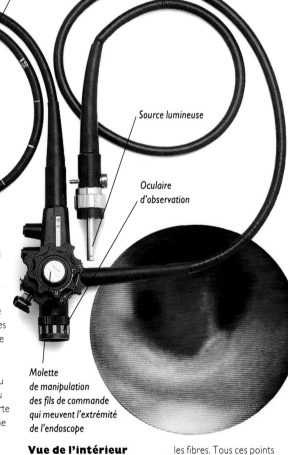

Source lumineuse

Oculaire d'observation

Molette de manipulation des fils de commande qui meuvent l'extrémité de l'endoscope

Vue de l'intérieur

Une vue d'artère à l'endoscope est faite de petits points de lumière venant de toutes les fibres. Tous ces points lumineux composent une image comme le font les yeux des insectes (p. 19).

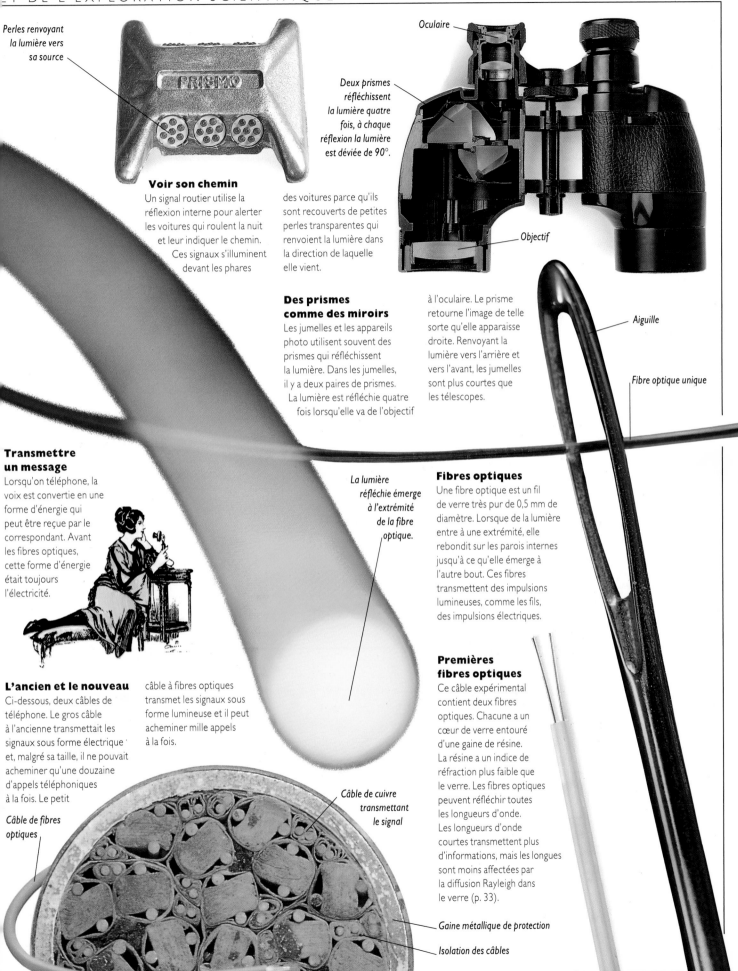

Perles renvoyant la lumière vers sa source

Oculaire

Deux prismes réfléchissent la lumière quatre fois, à chaque réflexion la lumière est déviée de 90°.

Objectif

Voir son chemin

Un signal routier utilise la réflexion interne pour alerter les voitures qui roulent la nuit et leur indiquer le chemin. Ces signaux s'illuminent devant les phares des voitures parce qu'ils sont recouverts de petites perles transparentes qui renvoient la lumière dans la direction de laquelle elle vient.

Des prismes comme des miroirs

Les jumelles et les appareils photo utilisent souvent des prismes qui réfléchissent la lumière. Dans les jumelles, il y a deux paires de prismes. La lumière est réfléchie quatre fois lorsqu'elle va de l'objectif à l'oculaire. Le prisme retourne l'image de telle sorte qu'elle apparaisse droite. Renvoyant la lumière vers l'arrière et vers l'avant, les jumelles sont plus courtes que les télescopes.

Aiguille

Fibre optique unique

Transmettre un message

Lorsqu'on téléphone, la voix est convertie en une forme d'énergie qui peut être reçue par le correspondant. Avant les fibres optiques, cette forme d'énergie était toujours l'électricité.

La lumière réfléchie émerge à l'extrémité de la fibre optique.

Fibres optiques

Une fibre optique est un fil de verre très pur de 0,5 mm de diamètre. Lorsque de la lumière entre à une extrémité, elle rebondit sur les parois internes jusqu'à ce qu'elle émerge à l'autre bout. Ces fibres transmettent des impulsions lumineuses, comme les fils, des impulsions électriques.

L'ancien et le nouveau

Ci-dessous, deux câbles de téléphone. Le gros câble à l'ancienne transmettait les signaux sous forme électrique et, malgré sa taille, il ne pouvait acheminer qu'une douzaine d'appels téléphoniques à la fois. Le petit câble à fibres optiques transmet les signaux sous forme lumineuse et il peut acheminer mille appels à la fois.

Câble de fibres optiques

Premières fibres optiques

Ce câble expérimental contient deux fibres optiques. Chacune a un cœur de verre entouré d'une gaine de résine. La résine a un indice de réfraction plus faible que le verre. Les fibres optiques peuvent réfléchir toutes les longueurs d'onde. Les longueurs d'onde courtes transmettent plus d'informations, mais les longues sont moins affectées par la diffusion Rayleigh dans le verre (p. 33).

Câble de cuivre transmettant le signal

Gaine métallique de protection

Isolation des câbles

La lumière solaire est un mélange de lumières de différentes couleurs. De plus, comme les atomes émettent de façon aléatoire, les ondes lumineuses qu'ils produisent sont désordonnées, c'est-à-dire que la lumière ordinaire est un mélange de différentes longueurs d'onde. À l'inverse, la lumière laser ne contient qu'une seule longueur d'onde. De plus, ces ondes sont cohérentes : chacune est exactement en phase avec toutes les autres. Une lumière laser est produite par un apport d'énergie dans une substance. Si celle-ci reçoit de l'énergie, ses atomes délivrent une lumière d'une longueur d'onde donnée. Quand la lumière d'un atome frappe ses voisins, de la lumière est de nouveau produite et cette réaction en chaîne continue jusqu'à ce qu'une multitude d'atomes émettent en même temps. Cette lumière est réfléchie par des miroirs de telle sorte qu'elle aille et vienne dans le laser. Finalement la lumière devient si intense qu'une partie passe à travers l'un des miroirs et forme un faisceau laser. De nombreuses applications ont été développées qui utilisent cette lumière intense et cohérente.

Le premier laser

Le premier laser opérationnel a été construit en 1960 par Theodore Maiman, montré ici en train de verser un réfrigérant dans un modèle expérimental. Ce laser était composé d'un cylindre de rubis synthétique entouré d'une lampe spirale. Il mesurait quelques centimètres de long mais il fonctionnait parfaitement.

Hélium et néon

Ce laser produit de la lumière par le passage d'un courant électrique à travers de l'hélium et du néon. L'énergie est captée par les atomes d'hélium qui choquent les atomes de néon. Il y a deux miroirs aux extrémités du tube. L'un réfléchit la lumière et l'autre laisse passer un faisceau laser.

Fabriquer un laser

Pour obtenir un faisceau laser beaucoup d'atomes ou de molécules doivent être excités – il faut leur donner assez d'énergie pour qu'ils atteignent un état de haute énergie. Ils peuvent alors émettre de la lumière qui va et vient dans la substance productrice. L'intensité du faisceau s'élève aussi longtemps que la lumière se déplace d'une extrémité à l'autre de la substance. La lumière s'échappe à travers le trou d'un miroir ou à travers un miroir légèrement transparent.

Lumière laser réfléchie par un miroir totalement argenté

Puissance excitant la substance productrice de lumière

Substance excitée produisant de la lumière

Lumière rebondissant d'un miroir à l'autre

Électrodes produisant une décharge électrique continue dans le mélange gazeux

Lumière rebondissant sur le miroir

Faisceau de lumière laser s'échappant par un trou du miroir

Microchirurgie

Le laser est couramment employé en chirurgie pour des opérations exigeant une extrême précision. C'est le cas, par exemple, des interventions sur l'œil, pour des décollements de rétine, des retaillages de cristallin, etc.

Laser à rubis

Ce laser à rubis datant de 1965 émet une lumière rouge. Il contient une longue baguette de rubis synthétique qui vient près d'une lampe lorsqu'on le met en service. Une surface réfléchissante garantit le bombardement du rubis avec le maximum de lumière. Cette lumière produit une telle quantité de chaleur que certains lasers ont un système de refroidissement à eau.

Faisceau laser émergeant au bout de la baguette de rubis

Baguette de rubis synthétique

Lumière laser produite par les atomes de chrome du rubis

Surface réfléchissante

Lampe de grande intensité

Une grande partie de la lumière est réfléchie par ce miroir semi-argenté, mais une petite partie passe à travers et émerge du laser.

Tube contenant l'hélium et le néon à basse pression

Lumière mortelle

À une époque, les rayons mortels étaient du domaine de la science-fiction. Dans un film de 1958, *Le Colosse de New York*, les yeux d'un monstre émettaient des rayons de lumière mortelle. Avec l'invention du laser, on peut maintenant produire des faisceaux de lumière qui détruisent les objets à distance. À la différence d'un faisceau de lumière ordinaire, celui d'un laser ne se disperse pas, il garde sa puissance et peut être dirigé avec une grande précision.

Mince faisceau laser rouge de lumière cohérente dont la longueur d'onde est d'environ 694 nm.

Mesure précise

Les faisceaux laser se propagent toujours en ligne droite, aussi sont-ils souvent utilisés pour l'alignement des ouvrages précis comme les tunnels. La lumière d'un laser peut aussi mesurer de très petites distances grâce aux interférences produites lorsqu'un faisceau laser est dédoublé et réfléchi. L'analyse des franges d'interférences (p. 36-37) permet de déterminer la distance entre deux objets avec une très grande précision.

Découpage et soudage

Les lasers de grandes longueurs d'onde peuvent être dirigés sur une surface et y produire une chaleur intense sur une très petite région. Cette chaleur permet de découper des matériaux de toutes sortes, des étoffes de vêtements jusqu'aux plaques d'acier des voitures. La chaleur du laser est également utilisée pour la soudure par points des pièces métalliques. L'un des avantages du rayon laser, outre sa précision, est qu'il ne s'émousse pas comme les cisailles ordinaires qui doivent être aiguisées ou remplacées.

Dennis Gabor (1900-1979) est ici représenté sur un hologramme par transmission.

Une photographie enregistre les intensités lumineuses qui tombent sur un film (p. 24-25). Elle est constituée d'un jeu d'ondes lumineuses et l'image que produisent ces ondes est plate, c'est-à-dire à deux dimensions. Un hologramme repose sur une technique différente. Il est pris en lumière laser et est obtenu non pas par un jeu d'ondes lumineuses mais par deux. Le premier jeu d'ondes est réfléchi sur le film, comme dans le cas d'une photo ordinaire, jusqu'au film, tandis que le second vient d'une direction différente sans rencontrer l'objet. Là où les deux jeux d'ondes se rencontrent, ils produisent des franges d'interférences qui sont enregistrées sur le film (p. 38). Lorsqu'on regarde l'hologramme, ces franges d'interférences donnent une image à trois dimensions.

Théorie et pratique

D. Gabor avait exposé le principe de l'holographie en 1948. Il avait compris qu'un faisceau lumineux pouvait être séparé pour donner des images à trois dimensions. Mais l'holographie de Gabor nécessitait une source d'ondes cohérentes. Il fallut donc attendre l'invention du laser, en 1960, pour passer à la pratique. Les premiers essais d'hologrammes ont été faits en 1962 par deux Américains, Juris Upatnieks et Emmet Leith.

PAR TRANSMISSION

Les hologrammes par transmission sont observés en lumière laser. Ce schéma en montre la réalisation : la lumière du laser est séparée en deux faisceaux. L'équipement est monté sur une table très lourde afin d'éviter les vibrations qui perturberaient les franges d'interférences.

Lame semi-argentée séparant le faisceau laser en deux

Laser hélium-néon projetant le faisceau vers la lame séparatrice

Bouton de réglage de hauteur de lentille

Lentille focalisant le faisceau sur le miroir

Laser hélium-néon

Ce laser (ci-dessus) émet un faisceau étroit de lumière rouge qui brille quelques minutes pour exposer un film holographique.

Séparateur de faisceau

Une lame séparatrice divise le faisceau en deux tout en conservant la cohérence de l'un par rapport à l'autre. On utilise soit un miroir semi-argenté, soit un prisme.

Lentille

Deux lentilles identiques sont utilisées pour faire diverger le faisceau laser. Les deux lentilles doivent préserver la cohérence des faisceaux.

Lame séparatrice

Faisceau objet

Lentille

Faisceau laser

Miroir

Lentille

Plaque holographique

Faisceau de référence

Miroir

Objet

Suivre le faisceau

Le faisceau « objet » traverse une lentille puis est réfléchi sur l'objet. La lumière tombe sur une plaque recouverte d'une émulsion photographique. Le faisceau « référence » traverse une lentille, est réfléchi sur l'émulsion où il interfère avec le faisceau objet.

PAR RÉFLEXION

Ces hologrammes sont réalisés en projetant sur un film deux faisceaux venant de côtés opposés : un de référence et un réfléchi par l'objet. Ils interfèrent et produisent des petites aires de lumière et d'ombre sur le film.

Regarder un hologramme par réflexion

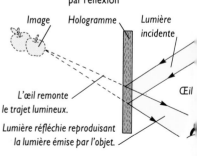

Image

Hologramme

Lumière incidente

Œil

L'œil remonte le trajet lumineux.

Lumière réfléchie reproduisant la lumière émise par l'objet.

Hologramme par transmission

Un hologramme par transmission s'obtient à partir de deux faisceaux laser qui tombent sur le même côté d'une émulsion photographique. Un faisceau vient de l'objet, ici deux pommes qui réfléchissent les ondes comme elles réfléchiraient la lumière du jour. Les ondes réfléchies se propagent des pommes jusqu'à la plaque photographique où elles rencontrent les ondes du faisceau de référence avec lesquelles elles interfèrent. Les ondes produisent des points lumineux là où elles sont en phase et des points sombres là où elles sont déphasées. L'émulsion enregistre ces dessins de points sombres et lumineux.

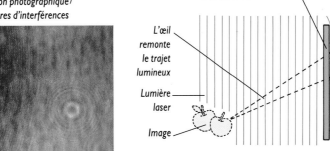

Ondes du faisceau de référence

Lumière émise par le faisceau objet

Objet

Plaque recouverte d'une émulsion photographique enregistrant les figures d'interférences

Miroir réfléchissant la lumière sur l'objet ou sur la plaque holographique

Figures d'interférences

Les interférences d'un hologramme sont constituées de zones microscopiques lumineuses et sombres. Elles ne donnent une image que lorsque l'hologramme est examiné de face et éclairé par une lumière laser adéquate.

Image à trois dimensions

Vu à la lumière du jour, un hologramme par transmission paraît blanc parce que les franges d'interférences sont beaucoup trop petites pour être perceptibles. Mais si l'hologramme est éclairé par le faisceau laser de référence, une image apparaît car les franges du film affectent la lumière du laser : elles interfèrent avec le faisceau laser de telle sorte qu'elles reconstruisent exactement les ondes réfléchies par les pommes, comme si l'hologramme n'était pas là. Il en résulte une véritable image à trois dimensions qui se modifie selon l'angle sous lequel on le regarde.

Hologramme vu en restituant le faisceau de lumière laser

Les figures d'interférences de la plaque reconstituent les ondes.

L'œil remonte le trajet lumineux

Lumière laser

Image

Œil

Plaque de verre recouverte d'une émulsion photographique

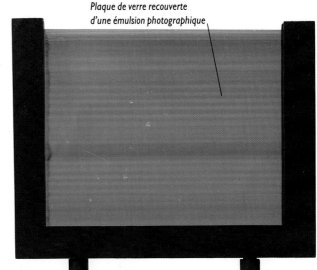

Objet à exposer au laser

Miroirs

Deux miroirs conduisent ensemble les faisceaux pour les faire se rencontrer. Une couche argentée recouvre chaque miroir pour permettre aux faisceaux de ne pas être réfléchis à travers la vitre.

Objet

L'objet est posé sur un plateau qui le préserve des vibrations. Plus l'hologramme nécessite un long temps de pose, plus il est indispensable que l'objet reste stable.

Plaque holographique

Le « film » d'un hologramme par transmission est une plaque de verre recouverte d'une émulsion photographique spéciale. Elle a un grain fin pour enregistrer des franges d'interférences beaucoup trop petites pour être vues à l'œil nu.

Hologrammes de sécurité

À la différence des hologrammes par transmission, ceux par réflexion sont observables en lumière du jour. Ils sont utilisés sur les cartes de crédit pour prévenir les contrefaçons. Ils présentent des images obtenues à partir de lasers émettant les trois couleurs primaires. Chaque laser produit ses propres interférences : leur addition donne une image couleur.

Viseur tête-haute

Dans un poste de pilotage traditionnel, le pilote peut regarder soit par le pare-brise, soit le tableau de bord. Avec un viseur tête-haute, il peut regarder les deux à la fois. Un hologramme par transmission est réalisé et réfléchi sur la vitre du cockpit. Ici, il est utilisé dans un avion de combat pour montrer la cible.

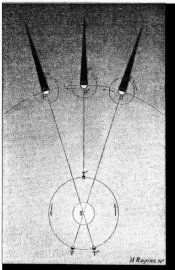

Autrefois, la plupart des savants pensaient que la vitesse de la lumière était infinie. Pourtant, Alhazen (p. 12) était convaincu que la lumière voyageait à une vitesse très grande mais finie. La première estimation de la vitesse de la lumière a été faite à Paris, en 1676, par un astronome danois, Olaüs Römer. Il observait les mouvements des satellites de Jupiter et avait remarqué que les moments où ils apparaissent et disparaissent varient au cours de l'année. Il attribua ce phénomène à la variation de distance entre la Terre et Jupiter au cours de l'année. En calculant la différence de distance, Römer put déterminer la vitesse de la lumière qu'il estima à environ 220 000 km/s. La première mesure terrestre n'a été effectuée qu'en 1849, par H. Fizeau. Les calculs de Fizeau et, un an plus tard, ceux de Léon Foucault montrèrent que l'estimation de Römer était trop faible.

La lumière chronométrée

Le Français Hippolyte Fizeau (1819-1896) a chronométré un faisceau de lumière lancé vers un miroir situé à environ 9 km et renvoyé au point de départ. Il le chronométra à l'aide d'une roue dentée qui tournait très vite.

La lumière en voyage

Olaüs Römer (1644-1710) observa le temps mis par les satellites de Jupiter pour faire le tour de leur planète.

Il nota qu'à certaines époques de l'année, les satellites semblaient aller plus ou moins vite que ne le prévoyaient les calculs. La différence annuelle atteignait environ 22 minutes. Römer comprit que cela provenait de

la variation de distance que la lumière parcourt entre Jupiter et la Terre. Comme il connaissait le rayon de l'orbite terrestre, il pouvait calculer cette différence de distance et, de là, déterminer la vitesse de la lumière.

Au départ le faisceau passait dans un creux entre deux dents de la roue et, si la roue tournait assez vite, au retour, il passait dans le creux suivant : connaissant la vitesse de la roue, il put calculer celle de la lumière.

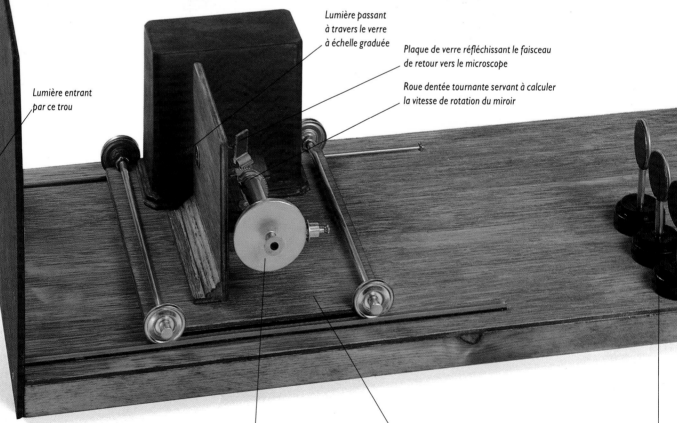

Lumière passant à travers le verre à échelle graduée

Plaque de verre réfléchissant le faisceau de retour vers le microscope

Roue dentée tournante servant à calculer la vitesse de rotation du miroir

Lumière entrant par ce trou

Expérience de Foucault

Le décalage du faisceau de retour est mesuré en observant l'image de l'échelle graduée dans le microscope.

La plaque de verre et le microscope sont montés sur rail pour ajuster la distance du trajet lumineux.

Miroirs concaves fixes provoquant les allers et retours de la lumière.

Les satellites de Jupiter

Jupiter est la plus grosse planète du système solaire. Chacun de ses satellites tourne autour d'elle, disparaissant devant et derrière. La révolution des satellites a été observée par Galilée, mais c'est Römer qui s'en est servi pour évaluer la vitesse de la lumière. Cette photographie, prise depuis Voyager 1 en 1979, montre deux des satellites galiléens : Io, sur la planète, et Europe, à droite.

Le miroir tournant de Foucault

Foucault, qui a travaillé avec Fizeau, a imaginé une façon de mesurer la vitesse de la lumière à l'aide d'un miroir tournant. Un faisceau de lumière passe à travers une échelle graduée et tombe sur un miroir tournant. Celui-ci réfléchit le faisceau dans une série de miroirs fixes qui lui font faire des allers et retours. Pendant que la lumière voyage, le miroir tourne très rapidement.

Il renvoie le faisceau vers la source, mais selon un chemin légèrement différent. L'appareil de Foucault était conçu pour mesurer cette petite différence de trajet lumineux. Connaissant la distance parcourue par la lumière et la vitesse de rotation du miroir, Foucault combina ces deux résultats avec la différence de trajet et estima la vitesse de la lumière dans l'air à environ 298 000 km/s.

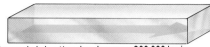

Vitesse de la lumière dans le vide : 300 000 km/s ; indice de réfraction de l'air : 1

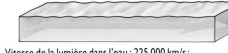

Vitesse de la lumière dans l'eau : 225 000 km/s ; indice de réfraction de l'eau : 1, 3

Vitesse de la lumière dans le verre : 200 000 km/s ; indice de réfraction du verre : 1, 5

Vitesse de la lumière dans le diamant : 125 000 km/s ; indice de réfraction du diamant : 2, 4

La rotation du miroir à grande vitesse est assurée par une turbine à air comprimé.

Les différentes vitesses de la lumière

La méthode de Fizeau exigeait un long trajet lumineux si l'on voulait obtenir un résultat précis. Pour cette raison, elle ne pouvait être utilisée que dans l'air. La méthode de Foucault (ci-dessous) se contentait de distances beaucoup plus courtes, ce qui lui permit d'évaluer cette vitesse dans des substances transparentes autres que l'air. Il montra que la vitesse de la lumière dans l'eau et dans le verre correspondait à peu près aux deux tiers de sa vitesse dans l'air. Il découvrit également que la vitesse de la lumière était liée à l'indice de réfraction dans la substance (p. 14-15). Plus la substance dévie la lumière, plus la vitesse y est faible, ainsi que l'avait prévu la théorie ondulatoire de la lumière.

Léon Foucault

L. Foucault (1818-1868) a évalué la vitesse de la lumière dans l'air et dans l'eau. Il a aussi inventé le gyroscope et utilisé le mouvement d'un grand pendule pour mettre en évidence la rotation de la Terre.

Plus rapide que la lumière

Albert Einstein a démontré que rien ne pouvait se déplacer plus rapidement que la lumière dans le vide. Mais dans une substance transparente certaines particules peuvent aller plus vite qu'elle. Cette photographie montre une baguette de carburant nucléaire plongée dans l'eau. La baguette est entourée d'un halo bleu dû aux particules de haute énergie qui progressent dans l'eau plus vite que la lumière.

Lentille focalisant la lumière sur le miroir tournant

Miroirs concaves fixes provoquant les allers et retours de la lumière

Trajet de la lumière dans l'expérience de Foucault

La longueur totale du trajet lumineux est d'environ 20 mètres.

Retour doublant

Dans l'expérience de Foucault, le faisceau est projeté sur une échelle graduée. Il traverse une plaque de verre inclinée à 45° par rapport au faisceau. Au retour, la plaque se comporte comme un miroir et réfléchit le faisceau dans un microscope. Là, on peut voir l'image de l'échelle dans le faisceau et mesurer son décalage latéral.

Au XIXᵉ siècle, on pensait que l'espace était rempli d'éther – une substance invisible, immobile et sans résistance – à travers laquelle les ondes lumineuses se propageaient. En 1887, deux Américains, Albert Michelson et Edward Morley utilisèrent les interférences pour déterminer la vitesse de la Terre par rapport à l'éther. Malgré leurs efforts, ils ne purent mettre en évidence aucun mouvement de la Terre. En 1905, Albert Einstein donna l'explication de ce résultat étonnant en affirmant que tout mouvement est relatif. Rien n'a de mouvement absolu parce qu'il n'existe aucun repère immobile auquel on puisse le rapporter. Cette théorie sonnait le glas de l'éther.

La lumière d'en haut

Au Moyen Age les gens croyaient que le ciel tournait et que la Terre était fixe au centre d'un univers de dimension modeste. Le développement de l'astronomie montra que les étoiles étaient beaucoup plus loin qu'on ne le pensait. Aujourd'hui, l'utilisation de la spectroscopie prouve que la plupart des galaxies s'éloignent de nous à grande vitesse.

L'EXPÉRIENCE DE MICHELSON-MORLEY

Le principe en est simple. Un faisceau de lumière est séparé en deux de telle sorte que leurs trajets soient perpendiculaires. Si la Terre se meut dans l'éther, le faisceau qui va et vient perpendiculairement au mouvement fera plus de chemin. Ce qui signifie que les ondes des deux faisceaux devraient revenir légèrement déphasées, et donc produire des franges d'interférences (p. 36). Plus le mouvement de la Terre sera rapide, plus les ondes doivent être déphasées. L'appareil devait mettre en évidence la plus petite différence entre les deux faisceaux.

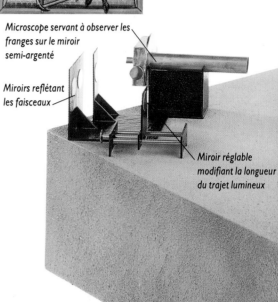

Microscope servant à observer les franges sur le miroir semi-argenté

Miroirs reflétant les faisceaux

Miroir réglable modifiant la longueur du trajet lumineux

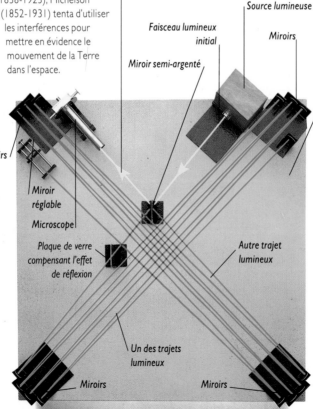

Albert Michelson
Avec Edward Morley (1838-1923), Michelson (1852-1931) tenta d'utiliser les interférences pour mettre en évidence le mouvement de la Terre dans l'espace.

Faisceau observé au microscope

Faisceau lumineux initial

Source lumineuse

Miroirs

Miroir semi-argenté

Platine de granit

Miroirs

Miroir réglable

Microscope

Plaque de verre compensant l'effet de réflexion

Autre trajet lumineux

Un des trajets lumineux

Miroirs

Miroirs

Un tissu de lumière
Dans l'expérience de Michelson-Morley, les faisceaux de lumière vont et viennent sur une platine tournant uniformément et lentement. Le faisceau est séparé par un miroir semi-argenté. Les deux faisceaux sont ensuite réfléchis et réunis de nouveau par des miroirs. La lumière est alors observée au microscope. Lorsque la platine tourne, l'observateur peut guetter l'apparition des franges d'interférences. Celles-ci n'apparurent jamais.

La lumière en mouvement
Dans l'expérience de Michelson, la lumière parcourt une distance d'environ 10 mètres. La platine de granit qui supportait l'appareil mesurait un mètre carré et faisait un tour en 6 minutes. Les mesures étaient prises au microscope. Le bain de mercure assurait une rotation presque sans frottement : la platine, une fois lancée, mettait des heures à s'arrêter.

Le décalage de la lumière

En 1842, C. Doppler (1803-1853) expliqua pourquoi un son est plus aigu lorsque la source s'approche que lorsqu'elle s'éloigne. Il comprit que les ondes sonores d'une source qui s'approche sont compressées, ce qui augmente leur fréquence, tandis qu'elles sont étirées si la source s'éloigne, ce qui diminue leur fréquence. Par analogie, H. Fizeau, en 1848, prédit la modification du spectre des astres suivant qu'ils approchent ou s'éloignent de nous (p. 60). Effectivement la lumière de nombreuses galaxies est décalée vers le rouge, comme si elles nous fuyaient.

Source lumineuse

Miroirs

Miroir semi-argenté

Plaque de verre compensant la réflexion de l'autre trajet lumineux

Miroirs

Bloc de granit très lourd

Miroirs

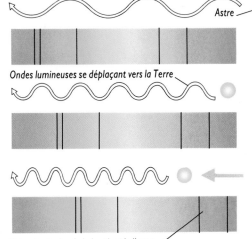

Astre

Direction du mouvement de l'astre

Ondes lumineuses se déplaçant vers la Terre

Raies spectrales de la lumière de l'astre

Fuite
La lumière d'un astre s'éloignant de la Terre est décalée vers le rouge. La position des raies spectrales indique à quelle vitesse l'astre s'éloigne.

Immobilité
Ce spectre est celui d'une étoile immobile par rapport à la Terre. Il ne présente aucun décalage par rapport à une quelconque direction.

Approche
La lumière d'un astre qui s'approche de la Terre est décalée vers le bleu. Là encore, les raies spectrales indiquent à quelle vitesse l'astre s'approche.

Lumière et gravité
Einstein prédit que la lumière est déviée par la gravité d'un objet massif, comme le Soleil. En 1919, ce phénomène a été observé à la faveur d'une éclipse qui permet de photographier les étoiles près du Soleil : leurs positions étaient décalées. Aujourd'hui on recherche les galaxies qui, beaucoup plus massives que le Soleil, doivent se comporter comme des lentilles gravitationnelles.

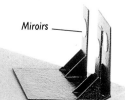

Rayons lumineux allant vers la Terre

Image virtuelle de l'astre

Observateur

Galaxie se comportant comme une lentille gravitationnelle

Position véritable de l'astre

Le flotteur de bois tourne dans un bain de mercure évitant les vibrations.

Flotteur de bois supportant la platine de granit

Base de brique

La réponse à une énigme
Albert Einstein (1879-1955) est célèbre pour deux théories importantes, la *Théorie quantique de la lumière* (1905) et la *Théorie de la relativité générale* (1915).

La première étudie le mouvement à très grande vitesse. La seconde examine les liens entre la gravité et l'accélération. Ces théories ont révolutionné la science parce qu'elles remettent en cause tout ce que pensaient les scientifiques depuis Newton. Les idées d'Einstein affectent toute la physique et elles ont une importance particulière dans l'étude de la lumière. Elles expliquent pourquoi l'expérience de Michelson-Morley n'a donné aucun résultat et montrent aussi que rien ne peut se déplacer plus vite que la lumière dans le vide et que cette vitesse dans le vide reste toujours la même.

REMERCIEMENTS

Dorling Kindersley tient à remercier :
Jane Wess, Fred Archer, Tim Boon, Brian Bowers, Roger Bridgman, Neil Brown, Robert Bud, Sue Cackett, Ian Carter, Ann Carter, Tony Clarke, Helen Dowling, Stewart Emmens, Robert Excell, Graeme Fyffe, Colin Harding, Derek Hudson, Stephanie Millard, Kate Morris, David Ray et son équipe, Derek Robinson, Victoria Smith, Peter Stephens, Peter Tomlinson, Tony Vincent, Anthony Wilson, David Woodcock, Peter Griffiths, Deborah Rhodes, Jane Bull, Susannah Steel, Karl Adamson, Jonathan Buckley, Jack Challoner, Neil Ardley, Fiona Spence de De Beers, British Telecom, Stephen Herbert, Lester Smith, Phil Farrand, Mike Bartley, Jane Parker.

Recherche iconographique
Deborah Pownall et Catherine O'Rourke
Illustrations
Kuo Kang Chen, Janos Marffy, Alistair Wardle et John Woodcock

Les Éditions Gallimard remercient
François Cazenave et Michel Langrognet pour leur précieuse collaboration.